KB076586

나 홀로 시대
—인간관계 레시피—

나 홀로 시대, 인간관계 레시피

발 행 | 2024년 5월 7일
저 자 | 유지현
펴낸이 | 한건희
펴낸곳 | 주식회사 부크크
출판사등록 | 2014.07.15(제2014-16호)
주 소 | 서울특별시 금천구 가산디지털1로 119 SK트윈타워 A동 305호
전 화 | 1670-8316
이메일 | info@bookk.co.kr

ISBN | 979-11-410-8376-2

www.bookk.co.kr

나 홀로 시대

인간관계 레시피

인간관계 고민 해결책

나만의 인간관계 시스템 만들기

유지현(케미맘) 지음

BOOKK

목 차

들어가는 글

나는 더 이상 상처받지 않기로 했다.

따뜻하고 온화한 사람이 좋다!

봄 햇살 아래 검정 봉지 덜렁덜렁 김치찌개 거리 사 들고 걷는데…. 생동감 있게 피어있는 목련꽃, 매화꽃을 보니 마음이 살랑거립니다.

'이 봄을 음미하는 평안한 마음 때문에 행복하다.'

'마음이 매일 이렇게 평안하다면, 얼마나 행복한 인생일까?!'

이제 50살이 되었습니다. 인간관계에 대한 고통이 뭔지 몰랐던 아주 어렸을 때를 제외하고는 40여 년을 인간관계 때문에 웃고 울고 분노하고 때론 외로움도 느꼈습니다. 갈등이 생길 때마다 어떻게 감정을 정리하고 선택할지, 불쾌한 상황과 사람에게 어떻게 응대해야 할지 고민하며 혼란스러움 속에 살았습니다.

사람의 뇌는 복잡한 생각을 단순화시켜서 시스템화하려는 기제가 있다고 합니다. 내 나름의 인간관계에 대한 시스템을 만드는 데 40여 년이 걸렸습니다. 그리고 이제서야 인간관계에서 평안해졌습니다. 혹시 지금껏 경험하지 못한 인간관계의 어려운 상황이 발생하더라도 이제까지와는 다르게, 갈등 그 자체에 집착해서 고통받지 않고 잘 이겨낼 힘이 내 안에 생겼습니다.

우리는 잠자는 시간 외의 대부분 시간을 사람들과의 관계 속에 살아갑니다. 직장생활에서 퇴사에 영향을 미치는 요인의 70%가 인간관계 스트레스라고 합니다. 청소년의 고민 역시 1위가 친구, 부모님, 선생님과의 인간관계입니다.

10대 때는 학교생활에서 선생님과 친구들과의 관계를 경험하고, 청년이 된 20대는 사회 초년생으로서 더 다양해진 새로운 인간관계를 경험합니다. 30대는 직장생활과 결혼 후 가족생활에서, 40대에는 그동안 익숙한 인간관계와 자녀를 통한 엄마들과의 인간관계, 그리고 사회적으로 새로운 시도를 해야 하는 불안감 속에서 인간관계 갈등을 겪습니다. 50대부터는 여태껏 이룬 나의 사회·경제적 지위와 관련한 인간관계, 그리고 자녀가 새로운 가족을 만들면서 확장하는 인간관계를 경험합니다.

또 디지털 시대인 요즘. SNS가 활성화되면서, 온라인상의 새로운 인간관계도 생겼습니다. 이처럼 나이대에 따라 인간관계 구조와 소통의 내용이 변화합니다. 또한 시대가 변화하면서 정서적·사회적 인간관계도 변화합니다.

인간관계는 사람들이 연결된 구조만이 아니라 정서적인 유대감과 소통의 과정을 포함합니다. 더불어 사는 우리는 인간관계의 평안함이 개인의 행복과 연결되어 있어서, 인간관계를 성숙하게 운용할 수 있도록 나와 다른 사람에 대한 이해와 변화하는 사회, 그리고 소통의 방법을 배우는 것에 항상 깨어 있어야 합니다.
이것은 마음의 성숙과 관련되어 있기 때문입니다.

나는 신체적 성장이 마무리되는 20대에 정신적·사회적 성장도 그때 마무리된다는 착각을 하고 있었습니다. 성인이 되었다고 내가 진짜 어른이 된 줄 알았습니다. 나를 중심으로만 생각해서 남의 감정을 눈치채지 못했고, 사람을 존중한다는 것이 뭔지 몰랐습니다.

나와 경험이 다른 사람을 이해할 수 없으면 이상한 사람이라고 함부로 비난도 했습니다. 나 때문에 상처받고 불쾌해하는 사람이 왜 그러는지 이해를 못 해서 눈치 없이 행동할 때도 많았습니다.

누구나 지난날의 나를 생각하면 부끄러움투성이지만, 40이 넘어서도 성숙하지 못한 나의 마음 때문에 내가 인간관계에서 그렇게 혼란스러웠다는 것을 늦게나마 알게 되었습니다.

나는 대학에서 청소년학을 전공했습니다. 청소년기의 독특한 문화와 심리를 이해하고 문제해결 방안과 지도 및 교육 방법 등에 관한 공부를 하면서, 제일 관심을 가졌던 것이 인간의 심리였습니다. 심리학에 꾸준한 관심을 두고 있었음에도, 나의 아이들이 한창 사춘기 시기일 때, 내 생각처럼 따라주지 않는 아들과 소통하는 것이 힘들어서 방황하던 때가 있었습니다. 그러다 '어쩌다 어른'이라는 프로그램을 보고, '어른'이라는 문구에 머리를 한 대 맞은 것 같았습니다.

40대인 나는 '어른'인가?

그 후로 책과 강의를 통해, 인간의 심리와 인간관계 및 소통에 관한 현실적인 공부를 하기 시작했습니다. 여러 인간관계로 불편한 경험을 고민하면서 왜? 그럴까? 하는 호기심으로 사람을 유심히 관찰하고 분석해 보기도 했습니다. 또 나를 객관적으로 들여다보고, 혼란스러웠던 인간관계 소통에 관한 생각과 그동안 공부해 왔던 것들을 하나씩 정리해 보았습니다.

내가 인간관계에서 어떤 모습으로 소통하고 있었는지 어떤 마음으로 사람을 대해야 하는지를 깨닫게 되면서, 자꾸 어긋나기만 했던 엄마와 아들 관계도 변화했고, 고달픈 사춘기 아들 엄마의 괴로움도 극복할 수 있었습니다. 서운하기만 했던 남편의 행동도 우리의 '다름'을 이해하면서 부부 사이의 대화가 훨씬 온화해지고 소통이 자유로워졌습니다. 가족 간에 언제나 갈등은 발생하지만 솔직하게 표현하고 공감하는 소통을 하면서부터는 서로에게 더 너그러워졌고, 갈등이 생겨도 우리는 언제나 긍정적으로 해결할 수 있다는 믿음이 생겼습니다.

과거의 인간관계 때문에 생긴 마음의 흉터는 때로 나의 자존감을 깎아내리기도 했지만, 이것은 오히려 내 성장의 도구가 되어 나의 자존감을 높여주었습니다. 열등감은 나를 더 나은 사람이 되게 하는 동력이 되기도 했습니다. 결국 나를 끊임없이 위로하고 격려하는 것은 나 자신뿐입니다.

관계의 고민과 경험의 결과로 나를 잘 관리하고, 마음을 치유하는 나만의 시스템을 만들게 되니, 항상 불편하고 한번 어긋나면 되돌리기 쉽지 않은 직장생활의 인간관계에서 오는 감정 스트레스도 정리할 수 있어서 마음이 많이 평안해졌습니다.

우리는 지금 '나 홀로 시대'에 살고 있습니다. 독립적인 삶을 추구하는 사람들이 늘어나면서도 디지털세계의 SNS 활동 등을 통해 다양한 인간관계를 맺으며 경험을 공유하고 소통하는 새로운 형태의 인간관계도 생겼습니다. 동시에 소외감과 단절감을 느끼기도 합니다. 이처럼 계속 새롭게 변화하는 관계들 속에서 마음의 성장은 꼭 옆에 끼고 매일 들여다봐야 하는 필수 과목이 되었습니다. 특히 현대는 평생교육과 평생학습을 통해 새로운 사회에 지속해서 적응해 나가야 하는 때입니다. 이와 더불어 마음도 평생 성장의 방향으로 성숙해 가야 함을 강조하고 싶습니다.

인간관계에 불편함이 있으면 관계 문제가 해결될 때까지 정신적인 고통이 지속됩니다. 사람의 정서적 고통은 신체적 고통을 일으킵니다. 신체적 건강이 정서적 건강과 연관 되어 있다는 것은 다양한 뇌과학적 연구로 증명되었습니다.

나도 산후에 우울증으로 인해 산후풍이라는 질병을 심하게 앓았던 적이 있습니다. 또 감정적으로 심한 스트레스를 받을 때마다 위장장애와 두통으로 한의원 단골손님이 되기도 했습니다.

항상 평안한 마음과 건강한 신체를 유지한다면, 그것이 바로 행복의 시작과 전부가 아닐까요?!

이 책을 통해, 고통스러웠거나 지금 고통스러운 인간관계들을 정리해 보는 계기가 되었으면 합니다. 그리고 내가 행복해지고 평안해지는 방법들을 실천해 보고 육체적·정신적으로 건강한 삶을 누리는 나만의 인간관계 시스템을 만드는 데 도움이 되었으면 합니다.

건강하고 평안한, 행복한 삶으로 가는 시작의 전환점이 되시길 진심으로 바랍니다.

따스한 봄날이 좋은

유지현(케미맘)

1장

나를 시험에 들게 하는 사람들

1. 끼리끼리 남 욕하는 사람들

은근히 따돌림을 당하는 느낌이 들 때가 있습니다. 이런 건 드러내서 말로 표현하기에는 이상한 기분으로 느껴집니다. 이런 경험은 학교생활, 직장생활, 그리고 엄마들의 관계 등 사람의 무리 속에서 발생합니다.

끼리끼리는 마음이 서로 맞는 사람들이 자연스럽게 무리를 이루는 것입니다. 대체로 서로 비슷한 생각, 성격, 성향을 보입니다. 좋은 문화를 가진 사람들은 소속되지 않은 타인에게 배타적이지 않고, 주변 사람들에게 좋은 영향을 끼치기도 합니다. 하지만 혼자 있을 때보다 무리 속에 있을 때 더 용감해지는 것처럼, 타인에 대한 부정적인 평가를 하는 문화가 생기기 시작하면 그들끼리 타인을 관찰한 비밀을 공유하기 시작하고, 그들의 가십의 대상이 된 사람에게 은근히 거리를 두기 시작합니다.

한번 가십의 대상을 만들면, 그 대상을 시시콜콜 관찰하기 시작합니다. 그리고 실시간 그들끼리 소통하고 정보를 공유하면서 수다의 소재를 만듭니다. '누구나 그럴 수도 있지' 하는 어떤 사소한 행동도, 사사건건 이상한 행동으로 규정하고, 사실과 다른 오해를 만드는 데 일조합니다. 심해지면 대놓고 대상을 무시하는 말과 행동을 무의식적으로 하게 됩니다.

남을 욕하는 것이 자신에게도 안 좋은 것은, 남의 욕을 하고 나면 마음이 부정적인 상태로 채워진다는 것입니다. 그리고 내가 남을 욕한 것이 혹시 알려지지 않을까 하는 불안감이 생깁니다.

이런 사람들은 속닥거리는 행동을 자주 합니다. 흘낏흘낏 무의식적인 눈짓과 손짓도 합니다. 또한 남이 본인을 혹시나 욕하지 않을까 하는 불안감에 남의 행동에 안테나를 쫑긋 세우기도 합니다.

이간질 하는 습성도 있어서, “누가 너에 대해 누구랑 이런 말을 하고 있더라”라고 친절하게 전해주기도 합니다.

무리에 소속된 사람들이 모두 틈만 나면 남을 욕하는 사람은 아닙니다. 그런 분위기를 주도하는 사람이 있습니다. 그런 분위기에 속해 있으면 함께 있다는 것만으로도 나도 모르게 공범이 됩니다. 나는 그가 욕하는 대상을 나쁘게 생각하지 않았는데, 어느새 나도 모르게 부정적인 감정의 씨앗이 심어집니다.

‘근묵자흑(近墨者黑)’. 이런 문화에 젖게 되면 나도 모르게 같은 습관이 생길 수 있습니다. 또 내가 그런 사람이 아니어도 그런 문화에 속해 있으면 동질적인 사람으로 보여 질 수 있습니다.

이런 것을 글로 표현하니 좀 유아적인 것 같아서, 다 큰 어른이 누가 이래? 이상한 사람들이나 그러지! 하면서 본인은 절대 그렇지 않다고 반감이 있을 수도 있습니다. 그러나 우리도 모르는 사이에 이렇게 되는 경우가 많습니다.

흔히 이런 끼리끼리 남을 욕하는 문화는 또래 친구가 중요한 시기인 여중생, 여고생 시절의 미성숙한 친구 관계에서나 생기는 것으로 생각합니다. 그러나 성인이 되어 직장생활의 고통을 호소할 때 '어디든, 그런 사람 꼭 있더라!' 하며 서로 공감하는 경우가 있습니다. 그때 '그런 사람'들 중에 이런 사람이 속합니다. 말로 꺼내기 민망해서 드러내지 않을 뿐이지, 이런 사소하고 유치한 상황에서 상처도 가장 많이 받고, 해결점을 찾지 못해 고민도 많이 합니다.

예전에 나도 친한 동료들끼리 남을 욕하는 것이 나쁜 줄도 모르고 행동한 경험이 있습니다. 누군가를 욕하는 것이 나쁜 것은 알지만, 단체생활을 하다 보면 상황과 맥락 속에서 나도 모르게 휩쓸리는 경우가 생깁니다. 내가 남을 욕하는데 주도하진 않아도 상대를 욕하는 그의 편이 되어주고 싶어서 그를 위해 동조해 준 적도 있었고, 내가 속한 무리와 동질감을 느끼기 위해 나도 모르게 같은 생각에 물들었던 적도 있습니다.

결국 그 무리에서 정서적으로 멀어지고서야 남을 욕하는 사람이 한 사람을 이상한 사람으로 만드는 데 얼마나 교활하게 심리적 동조를 끌어내는지 깨닫게 되었습니다.

남을 욕하고 고립시키는 습성을 가진 사람의 타깃이 된 적도 있습니다. 그리고 나뿐 아니라 그들의 타깃이 되었던 어린 동료를 돕기도 했습니다. 이런 경험을 하고 나서 그들은 왜 그럴까. 나는 왜 그랬을까를 생각해 보았습니다. 인간의 외로워지고 싶지 않은 마음, 인정받고 싶은 마음이 스스로와 남에게 참으로 많은 상처를 내고 있구나…. 라는 안쓰러운 마음으로 내 마음도 위로했습니다.

남의 뒷담화는 처음에는 '어 진짜? 그 사람이 그런다고?' 하며 흥미롭고 호기심을 갖게 하지만 계속해서 듣다 보면 '저 사람은 남의 욕을 많이 하는 사람이구나', '혹시 이것 때문에 저 사람이 내 욕을 하고 있지 않을까?', '저 사람이 요즘 나에 대한 표정이 안 좋은데, 무슨 오해를 하고 있으면 어쩌지?' 하는 남을 욕하는 사람에 대한 의심과 불안함이 생기기 마련입니다.

내가 속한 끼리끼리에서, 혹시 남에 대한 시시콜콜한 부정적인 얘기로 수다를 즐기고 있지 않은지, 내 주변에 남 욕을 많이 하고 다른 사람과 내 사이를 이간질하는 사람은 없는지, 내 마음에 시기하고 질투하는 대상이 있다면 나는 그를 어떻게 대하고 있는지 진지하게 살펴볼 일입니다.

2. 무시하고 모멸감을 주는 무례한 사람

유독 나에게만 시크한 표정을 짓고, 냉담하게 대하는 사람이 있습니다. 다른 사람과는 더 큰소리로 웃고 친한 척하면서 말입니다.

때로는 은근히 따돌리기도 하고, 나를 공개적으로 능력 없는 사람으로 보이게끔 모멸감을 주는 언행을 할 때도 있습니다. 가끔은 친절하게 대하면서도 무례한 행동을 하는데, 그때그때의 감정에 따라 선택적으로 상대하며 감정 기복이 큽니다.

이런 사람은 본인이 정주는 사람, 인정하는 사람, 권력자에게만 친절하게 대하고 혜택을 주면서 사람을 가려서 대합니다. 나와 어떤 불쾌한 사건이 없었는데도, 어쩌다 단둘이 마주쳐도 인사를 안 한다거나, 먼저 인사를 해도 대충 반응하거나 무시하고 지나가 버립니다. 여럿이 있을 때 내가 말하는 것에 대해서 시큰둥하게 굴거나 쓸데없은 소리처럼 치부해 버립니다. 마치 내가 그 자리에 함께 있는 것을 못마땅해하는 듯한 이상한 느낌을 풍깁니다.

그가 나에게 왜 이러는지 이유를 알 수 없습니다. 자꾸 상대에게 마치 '너는 이런 사람이야'라는 암시를 주는 듯 해서, 내가 뭘 잘못한 게 있나? 내가 무시당할 행동을 했나? 하면서 나를 먼저 점검하게 됩니다. 이런 사람의 행태는 나의 자존감을 무너지게 하는 아주 강력한 독입니다. 자신이 능력이 있다고 생각하는 동료일 수도 있는데, 만약 나의 상사가 이렇게 한다면, 직장생활이 정말 괴로울 것입니다.

하루 1/3인 8시간 이상을 직장에서 지내는 우리는 동료들하고 즐겁게 지내고 일도 잘한다는 인정을 받고 싶은 욕구가 있습니다. 그런데 나를 무시하고 무례하게 대하는 사람이 있으면 하루하루를 그 사람 때문에 긴장하면서 조심스럽게 되고 불안해집니다. 이런 예민함과 불안감 때문에 심리적으로 더 경직되고 업무능률도 저하되면서 불안한 직장생활의 악순환이 만들어질 수 있습니다.

저 역시 그 사람이 나의 옆에만 다가와도 발걸음이 쿵쿵쿵 내 심장을 흔들면서 온몸이 저려 오는 반응을 느꼈을 정도로 스트레스를 겪었습니다. 처음엔 이유도 알 수 없는 이런 관계를 해결해 보려고 그 사람에게 더 친절하게 배려해 보고, 특별한 날에 선물을 챙기기도 했습니다. 그러나 그럴수록 더 내 감정은 더 비참해졌습니다. 이렇게 무례한 사람의 심리적 목적이 내가 그의 의도대로 주눅들 길 원한다는 것을 알았을 때, 나는 결코 그의 의도대로 되지 않겠다고 결심했습니다.

이런 사람은 오히려 강한 열등감을 가진 경우가 많습니다. 어쩌면 그가 애써 무시하는 대상은 그에게 불안감을 주는 사람일 수 있습니다. 자신의 열등감을 건드리는 무엇을 가진 사람, 그의 의견에 대항하는 힘을 가진 사람, 자신과 이질적이지만 부러운 무언가를 가지고 있는 사람이, 본인보다 세 보이지 않는 것 같으면 그 사람을 눌러서 자신을 돋보이게 하려는 욕구가 강합니다. 그리고 자신이 주도권을 가지고 사람을 흔들고 군림하고자 합니다.

나도 내 열등감에서 비롯된 시기심 때문에, 소중했던 친구를 무례하게 대해서 정말 좋은 친구를 잃은 쓰린 기억이 있습니다. 그때는 몰랐는데, 내가 그런 상황을 겪으면서 돌아보니 나도 상대에게 무례하게 한 경우가 있었습니다.

누구에게나 시기심과 질투심은 있습니다. 이런 마음을 '부럽다' 라는 마음으로 바꿔 좋은 점을 배우고 나의 성장 동기로 삼는 여유 있는 마음이 생긴다면 얼마나 좋을까요. 좋은 일이 있는 사람을 진심으로 축하해 주고 함께 기뻐해 주겠다는 결심부터 시작하면, 남도 나의 응원에 감사로 보답해 줄 것입니다.

왜냐하면 모든 사람은 존중받고 싶은 본능이 있기 때문입니다.

3. 착하고 약한 가면을 쓴 음흉한 조종자

조용하고 순해 보이는 사람이 있습니다. 목소리를 내서 특별한 주장을 하지 않고, 나서서 뭔가를 하지 않으려 합니다. 조심성도 많고 함부로 먼저 행동하지 않기 때문에 참 신중해 보입니다. 먼저 의견을 제시하지 않고 남의 얘기도 잘 귀담아듣습니다.

타인의 주목을 받기 싫어하고 겁도 많은 듯 해서, 문제가 생기면 나서서 주도적으로 해결하기보다는 자신의 상황을 주변에 먼저 알려서 주변에서 이 사람을 배려하고 보호해 주고 싶은 보호본능을 일으킵니다. 그래서 주로 자신과 반대되는 성향의 주도적이고 문제해결에 능숙한 사람과 잘 지냅니다.

우리는 때로 겉모습에 속아 사람의 본질을 잘못 판단하곤 합니다.

겉으로 보기에는 착하고 약해 보이는 이들 중에는, 은근히 다른 사람들을 자신의 의도대로 조종하려는 능력을 숨기고 있는 사람이 있습니다. 이런 사람은 조용히 타인을 섬세하게 관찰하고, 주변 사람들의 행동과 감정, 반응을 포착해서 자신의 진짜 의도대로 움직이도록 만듭니다.

문제상황에 대한 행동이 빠른 나는, 그의 의도대로 그를 위해서 한 행동인데 그가 원하는 대로 되지 않으니까 '내가 원한 게 아니었다'라며 오히려 나를 공격하고 상황의 탓을 떠넘기는 바람에 곤란했던 경험이 있습니다. 시시콜콜 그게 아니었다고 말하기에는 이상한 변명이 되고, 그 사람을 비난해서 상황을 해결하고 싶지는 않아서 '아이 그래 뭐. 내가 오지랖을 폈네' 하며 참고 넘어가기도 했습니다.

그리고 이런 사람은 대화할 때 상대의 마음을 조용히 슬쩍 떠보며 간을 봅니다.

'우리 이건 이렇게 해야 하는 거 아니야?', '그 사람은 좀…. 이런 거 같은데, 어때?'하며, 절대 본인이 나서서 문제를 제기하거나, 주도적으로 문제를 해결하지 않고 나의 의견을 떠보며, 내가 먼저 나서서 본인 대신 행동하고 뭔가 조처를 하도록 은근한 암시를 줍니다.

사람의 마음을 떠보듯 하면서 본인이 원하는 것을 다른 사람을 통해 해결하는 방식이 반복되니 이용당하는 것 같아서 불쾌했습니다. 나에게 슬며시 간을 보듯 떠보는 것처럼, 다른 사람에게도 슬며시 그렇게 말을 전하고 있다는 사실을 안 순간, 가장 조용한 사람이 관계의 소통을 지배하고 있었다는 무서움에 화들짝 놀란 때가 있었습니다.

조용하고 순해 보이는 사람들이 모두 그런 것은 아닙니다. 조용히 배려하고 차분하게 문제를 해결하는 사람도 있습니다. 신중해서 함부로 주장하지 않지만, 중요한 순간에 훌륭한 의사결정에 역할을 하기도 합니다.

그러나 남을 조종하는 사람은 배려심과 표현에서 다릅니다. 솔직하게 표현하지 않고, 조용히 자기 욕심과 이기심만 채우는 사람을 구별해서 잘 대응할 필요가 있습니다.

이런 사람들은 자신에 대한 믿음이 부족해서 오는 불안함 때문에 선택한, 소극적이지만 이기적인 삶의 방식인지도 모르겠습니다. 그것을 안쓰러워할 일은 아닙니다. 적절하게 부당함에 응대를 해줘야 그도 스스로 강해질 수 있습니다.

4. 친한 것 같은데, 기분 나쁜 사람

관심의 안테나가 주로 타인에게 향해있는 사람이 있습니다. 활달하면서 유독 모든 사람을 잘 챙깁니다. 아침에 동료들을 위해 먹거리도 챙겨오고, 생일도 챙겨주고, 가족사에 적절한 관심과 예의도 잘 표현합니다. 남을 잘 챙기는 마음이 느껴집니다. 의사결정에 목소리도 높이고 전체의 분위기를 주도하기도 합니다. 그리고 사람을 잘 관찰해서 '머리 잘랐네!', '옷 산 거야?', '신발 샀네!' 하면서 제일 먼저 관심을 표현해 줍니다. 정말로 좋은 장점이 있는 사람입니다.

하지만 이런 좋은 장점이 있음에도 불구하고, 안타깝게도 진심이 느껴지지 않는 사람이 있습니다. 바로 주변 사람을 잘 관리하지만, 말과 행동에서 존중하는 마음이 느껴지지 않을 때는, 그 사람의 의도가 좋았어도 상대를 불쾌하게 만들 수 있습니다.

우리는 주변 사람들이 나를 좋아하고 나를 좋은 사람으로 여겨주면 좋겠다는 마음이 있습니다. 그래서 좋은 관계를 위해 물질

로든 관심이든 표현하게 됩니다. 특히 주로 관심의 안테나가 타인에게 향해있는 사람들은 이런 표현을 하는 것에 더욱 신경을 많이 씁니다.

그러나 타인에게 잘 표현해서 얻은 리더십과 인간 관리 능력으로 교만한 마음을 품게 되는 경우가 있습니다. 이런 사람을 저는 심술궂은 시어머니 관찰자로 표현하고 싶습니다. 모든 시어머니가 그렇지는 않지만, 드라마 속에 등장하는 심술궂은 시어머니 설정으로 이해를 돕고자 합니다. 시어머니라는 권위를 이용해서 사사건건 간섭하고 함부로 지적하고 가르치려 드는 시어머니 유형처럼 남을 잘 챙기고 관심도 많이 주지만 그 관심이 상대에게 불쾌감을 느끼게 할 때가 있습니다.

이런 사람은 남을 잘 관찰해서, 관심 있는 척 지적질을 하는 말 습관이 있습니다. 또 은근히 돌려서 비난하는 말 습관이 있어서 대화하고 나면 기분이 나쁠 때가 많습니다. 안테나가 타인에게만 향해있을 때는 남의 잘못은 잘 보이는데, 자신이 남을 불편하게 하는 것은 잘 모릅니다.

잦은 기침이 자꾸 나와서 불편해하고 있는데, 그때 그 사람에게서 메시지가 톡 옵니다.

"감기야? 많이 아픈거야? 병원은 갔었어?"

"고마워요. 감기는 다 나았는데 잔기침이 자꾸 나네요~" 하며 걱정해 주는 마음에 고마워하는 순간,

"그래? 마스크 좀 쓰지?!" 라며 '내 관심의 의도는 바로 이것이다!'라고 말하는 것처럼 눈치를 줍니다.

이런 사람 중에는 자기가 주인공이 되고 싶어 하고, 자기 자랑에 목마를 수가 있습니다. 늘 자신이 한 것에 대해서 자랑을 늘어놓습니다. 그리고 타인을 위해 무언가를 한 것에 대해서는 꼭 증거를 남기듯, 내가 당신을 위해 이것을 했노라고 생색을 내서 빚진 마음을 갖게 합니다. 남이 더 잘나 보이거나 본인의 관심사가 아닐 때는 대화를 무시하거나 딴짓하며 대화에 피상적인 태도를 보이기도 합니다.

지적하고 가르치기 위해 남을 관찰하는 사람은 본인이 상대를 위해서 어쩔 수 없이 충고했다는 정의감을 갖습니다. 충고를 잘 받아들이지 못하는 사람이 문제라고 생각합니다.

그러나 옳은 말이라도 충고는 함부로 하는 게 아닙니다. 가까운 사람의 흠결을 때로는 못 본 척 넘어가 주기도 하고, 실수한 것

은 함께 수습해 주기도 하는 등 스스로 깨달을 수 있도록 조용히 조력해 주는 것이 성숙한 어른의 모습입니다.

친절하게 관계를 관리하는 역할에 충실한 것만으로 인간관계를 잘하고 있다고 자만하다가 진심으로 사람을 존중하고 배려하는 것이 무엇인지 깨닫지 못하는 안타까움이 있습니다. 이런 경우는 마음이 나빠서가 아니라 존중하는 표현의 방식을 잘 몰라서일 수 있습니다.

말은 생각을 나타내는 거울이라고 합니다. 사람을 존중하는 마음과 표현도 배워가는 겁니다. 이는 우리가 타인을 향한 안테나를 돌려 나 자신에게 향하게 하고, 마음을 성장시켜야 하는 이유입니다.

5. 나를 기운 빠지게 하는 사람

잦은 펀치를 자주 맞으면 골병이 됩니다. 이처럼 그 사람과 대화만 하면 기분이 나쁘거나 그 사람만 만나고 나면 왠지 모르게 기운이 빠지는 경우가 있습니다.

그 첫 번째로 매사에 비관적인 사람, 변화를 시도하는 것을 두려워하는 사람입니다.

새로운 시도를 하거나 도전해 보려 할 때마다, '지금 시작한다고 되겠니?', '괜히 시간만 버릴 수 있어', '다 너 생각해서 하는 소리야'라며 얕은 충고를, 진심으로 나를 생각해 주듯 말하는 사람이 있습니다. 심지어 '네가 되겠니?' 하며 나의 도전을 비하하기도 합니다.

회사에서 '이건 이렇게 개선해야 효율이 있을 것 같은데, 함께 의견을 내 보면 좋겠다'라고 하면, '의견을 낸다고 바뀌겠어요? 안될 거예요. 우리말 듣겠어요? 그냥 하던 대로 하자고요.' 하며 아예 시도조차 막아버리는 경우가 있습니다.

상황과 환경이 바뀌어서, 기존원칙을 다르게 바꿔 보는 게 어떠냐 해도 '한번 정했으면, 그냥 그대로 하는 거죠', '복잡하니까 그냥 하던 대로 합시다' 하며 변화를 귀찮아하거나 두려워하는 사람들이 있습니다. 이런 사람들은 결과가 좋지 않으면 꼭 '거봐, 내가 그럴 줄 알았어. 내 말이 맞았죠?' 하며 부정을 정당화합니다.

무작정 낙관적인 사고가 더 좋다는 것은 아닙니다.

여기서 비관과 비판은 구분할 필요가 있습니다. 비관적인 사람은 여건에 상관없이 무작정 부정적이라고 생각하는 것이고, 비판적인 사람은 상황, 과정, 노력 등 여러 가지를 모두 고려해서 '이런 과정 때문에 결과가 좋지 않을 거야'라고 구체적으로 생각하는 사람입니다.

심리학에서 비판적인 사고는 사실에 기초해서 타당한 대안을 선호하지만, 비관적인 사고는 잦은 실패와 불행에 익숙해져서 비관적인 사고 습관을 만들어 낸다고 합니다. 이런 부정적인 사고 습관은 부정적 미래를 예측하고 부정적 결과를 만드는 최악의 암시입니다. 부정적 사고와 결과의 악순환입니다.

그러니 비관적인 사람과 있으면 뭘 해봐야겠다는 생각보다는 해봐야 안 되니 하지 말아야겠다는 결론에 자꾸 도달하게 됩니다. 비관적 사고 습관이 생기게 되는 겁니다.

두 번째는 습관적으로 남과 비교하는 말을 하는 사람입니다.

엄마들은 아이의 성적을 비교하거나, 내심 다른 집과의 경제적인 면을 비교하기도 합니다.

어느 날 아들의 학교 친구 엄마가 다른 아파트로 이사를 하게 되었다고 연락이 왔습니다. 갑자기 이사하게 된 이유가, 아들이 친구 집에 놀러 갔다 와서 친구의 집과 상대적으로 작은 평수 때문에 열등감을 느꼈다는 겁니다. 그때 살고 있던 집도 중 대형평수였는데, 고민 끝에 갑자기 집을 팔아서 더 큰 평수로 전세로 이사를 하게 되었다고 했습니다. 기능상 필요로 이동하는 것과 내 자식이 비교당하고 주눅 들지도 모른다는 불안감에 무리한 이사를 하게 되었다는 소식은 좀 씁쓸했습니다.

늘 다른 아이와 성적을 비교하고, 다른 친구가 가진 샤프, 시계, 옷의 브랜드를 비교하는 얘기를 전해 들었던 터라 그 엄마의 생각에서는 그럴 수 있었겠구나 싶었습니다. 씁쓸한 마음을 더해, 나도 그렇게 비교당하진 않았을까 싶었습니다.

습관적으로 남의 부러운 면과 자신의 부족함을 비교해서 말하는 사람과 대화하다 보면, 나에게도 비교 심리가 작동됩니다, '나도 이것밖에 안 되는데….', '내가 바보였어'. 하면서 위축이 되고 평안했던 내 마음이 흐트러지고 괜스레 짜증이 나고 맙니다. 그래서 항상 자신이 열등하다는 부정적인 생각을 하는 사람하고는 함께하지 않는 게 좋습니다.

가까운 사람이 더 잘 됐으면 하는 마음에, 바로 깨달을 수 있도록 극단적으로 비교해서 말하기도 합니다. 엄마가 아들에게 다른 친구와 비교해서 말하거나 친척이나 상사 등은 이렇게 말합니다. '기분 나빠하지 말고 들어. 다 너를 위해서 하는 소리야'라면서 나와 가까운 사이처럼 함부로 비교하며 가르칩니다.

비교해서 충고하는 것은 상대를 위한 가르침이 아니라 상대를 꺾어서 내가 하고 싶을 말을 듣도록 하는 겁니다. 진심으로 상대가 잘 되길 바란다면, 상대가 나에게 마음이 열려있고 나에게 존중받는 느낌이 있을 때 '네가 정말 잘 됐으면 좋겠다는' 진심을 담아 조심스럽게 말해야 합니다.

그리고 상대가 배우고 알았으면 하는 것은 충고의 방식을 사용하는 것보다는 상대를 위해 좋은 정보를 제공하는 것이 더 훌륭한 관심일 수 있습니다.

세 번째로 나를 존중하지 않는 사람입니다.

마음의 주파수가 안 맞는 경우가 있습니다. 연락이 와서 열심히 통화하고 나면 또는 만나자고 해서 기쁜 마음에 만나고 나면, 내가 도대체 이 사람을 왜 만난 거지? 내가 왜 이 사람에게 이렇게 에너지를 쏟은 거지? 하면서 마음이 손해 본 것 같은 느낌이 들 때가 있습니다.

바로 자기 필요에 의해서만 나를 찾는 사람 때문입니다. 물론 사람은 서로 도움을 주고받으면서 정도 나누고 감사하면서 좋은 관계를 유지해 갑니다. 내가 도움이 되는 사람이 되는 것은 참 즐겁습니다. 그런데 사람의 좋은 마음만 이용하려는 습성을 가진 사람이 있습니다. 나는 상대를 정서적인 대상으로 생각하는데, 상대는 나를 이해관계로 여기고 있다는 것을 느꼈을 때가 그런 것 같습니다.

나의 경우는 엄마들의 관계에서 그런 경험을 많이 했습니다. 초등학교 때부터 대학입시를 준비시키는 우리나라 엄마들에게서 많이 발생하는 현상인지도 모르겠습니다. 아이의 스펙을 만들어 주기 위한 목적으로, 필요한 정보를 얻고 과제를 수행하기 위해 자기의 이익을 극대화해 주는 엄마와 함께하려고 이리저리 평가하고 비교 해가며 엄마들 사이를 왔다 갔다 합니다. 아이의 스펙을 만들어 주는 엄마들끼리는 당연한 문화입니다.

직장생활 같은 사회적 관계와는 다른, 아이를 키우는 같은 엄마로서 마음을 나누는 정서적 관계로만 생각했던 나는, 이렇게 이해관계만으로 얽힌 관계가 참 낯설고 적응이 어려웠습니다. 모든 인간관계가 내 생각처럼 끈끈할 수 없고, 억지로 좋은 관계를 만들려고 애쓸 필요가 없다는 것을 알게 되었습니다.

'시절 인연'이라는 말이 있습니다. 특정 시기 상황, 때와 장소에 따라 자연스럽게 맺어지고 풀어지는 인간관계의 특성을 말합니다. 인생의 시기마다 필요한 인연이 있고 그 인연이 계속되거나 때로는 끝나기도 합니다. 인간관계는 이처럼 유동성 있게 변합니다.

'시절 인연'이 반복되면서 진정한 관계는 걸러지게 되어 있다는 것을 깨달은 후부터는 인연들에 연연하지 않고 여유 있게 인간관계를 바라볼 수 있게 되었습니다.

소소한 매너가 부족한 사람들이 있습니다.

작은 것도 조금이라도 본인이 더 좋은 걸 취하려고 애쓰는 얌체 같은 사람, 조금이라도 손해 보지 않으려는 계산적인 사람, 본인의 시간만 중요하게 생각하고 남의 시간은 배려하지 않는 사람…. 이런 행동에 대해 사사건건 불쾌하다고 말하는 것이 속이 좁아 보여서 참고 말지만, 이것이 계속 누적되면 그 사람과의 관계에서는 엄청난 스트레스가 됩니다.

마지막으로 나를 기운 빠지게 하는 사람은 우유부단한 사람입니다.

의사 표현을 분명히 하지 않는 사람입니다. '난. 그냥 뭐….', '네가 하자는 대로….' 합니다. 남의 이야기를 먼저 듣고, 남을 배려하는 듯합니다. 순진하고 착해 보이며 항상 대세를 따르려고 합니다.

그러나 모든 걸 내가 주도하고 결정해야 해서, 이런 사람과 함께하면 에너지 소진이 너무 많아서 부담스럽습니다.

이런 사람 중에는 모든 걸 다 내 의견대로 따라줄 것처럼 하지만, 본인의 욕심과 결합 되면 이기적인 태도를 보이는데, 이럴 때는 배신감이 더 클 수도 있습니다. 항상 사람들의 눈치를 보며 대세를 따라 안전을 확보하겠다는 이기심을 분별 있게 바라볼 필요가 있습니다.

6. 디지털 세상의 살인자 '악플러'

온라인상의 언어폭력과 거짓 정보 양산의 심각성은 날로 커져만 갑니다. 안타깝게도 악플 때문에 극단적인 선택을 한 연예인들이 많습니다. 공개적인 인물의 충격적인 소식은 이것을 바라보는 대중에게도 간접적인 정신적 고통입니다.

우리는 온라인상의 블로그 댓글, 온라인 게임상에서의 소통 채널, 유튜브 댓글, 페이스북, 인스타그램, 틱톡, 카톡 같은 SNS 등으로 디지털 커뮤니케이션을 합니다. 특히 SNS는 인간관계를 맺고 소통하는 중요한 수단이 되었습니다. 그래서 악플은 이제 유명인의 문제만이 아니라 자신을 드러내는 수단이 많아진 일반인도 악플의 대상이 되었습니다.

나와 같은 개인도 인스타그램으로 한 번도 만나보지 못한 사람들과 소통하게 되는 데, 현실 세계에서의 만남보다 온라인상에서의 만남이 짧은 시간에도 훨씬 더 많이 이루어지고 있습니다. 이것을 생각하면, 온라인상의 인간관계도 건강한 소통을 할 수 있는 사회적 합의가 이루어질 수 있도록 좀 더 깊은 연구와 사회적 대책이 필요한 것 같습니다.

익명성이 악플의 주요 원인 중 하나로 꼽힙니다. 사용자들이 익명으로 활동할 수 있는 환경은 자기 행동에 책임감을 크게 느끼지 못하고, 평소에는 하지 않을 부정적인 발언이나 행동을 쉽게 합니다. 상대방을 직접 보고 느끼는 대면 상호작용이 아니기 때문에, 상대방을 가상의 존재로 인식합니다. 그래서 공감하기보다 상대를 공격하는 악플 행위에 대한 부담감이 없습니다.

또한 온라인 커뮤니티 내에서 부정적인 악플이 일단 확산하기 시작하면 집단동조 효과로 인해 악플 행위가 정당화되고 강화됩니다. 다수의 사람이 비슷한 행동을 하게 되면 추가적인 악플을 다는데 도덕적 부담감이 줄어들고 악플을 더 부추기게 됩니다.

악플은 때리는 것과 똑같은 폭력입니다. 악플 피해자들의 뇌의 반응을 살펴보면, 칼에 찔리거나 둔기에 얻어맞았을 때와 똑같은 경험이 관찰된다고 합니다. 더 심각한 것은 악플의 당사자뿐 아니라 그 악플을 보는 불특정 다수가 모두 피해자가 될 수 있다는 것입니다.

누가 남에게 욕하는 소리를 듣는 것도 매우 듣기 싫은 것처럼, 정상적인 사람들은 남에게 쓴 악플을 보는 것만으로도 고통을 받습니다. 그리고 다른 사람이 악플에 시달리는 것을 보는 것만으로도 심리적 피해를 입는다고 합니다.

우리는 모두 악플을 다는 성향이 있습니다. 나쁜 서비스를 받았을 때, 부정적인 리뷰를 달고 싶은 것처럼요. 이것을 막아주는 마음이 연민과 공감하는 마음입니다. 그래서 정상적인 사람들은 감정표현을 적절히 절제합니다.

그러나 악플러들은 이런 공감과 연민의 감정이 정상인보다 떨어진다고 합니다. 감정조절을 잘 못해서 작은 일에도 지나치게 화를 내거나 짜증을 내고, 외모, 피부, 헤어스타일 등 외모를 비하하는 발언이 많습니다. 이런 악플러들의 특징을 볼 때, 악플러들은 심리적으로 자기 존중감이 낮고 열등감이나 콤플렉스가 많아서, 악플로 남에게 상처를 주고 자기 효능감을 느낀다고 합니다.

악플러들은 정상인이 아닙니다. 악플로 인해 사람이 고통받고, 죽기도 한다면, 악플러는 치료가 필요한 정신병자거나, 격리가 필요한 심리적 범죄자입니다.

요즘 시대는 디지털 세상에서 새롭고 다양한 인간관계가 설정됩니다. 익명의 가면에 숨어 사람을 헤치는 악플러들의 피해자가 양산되지 않기 위해서. 바로 내가 그 피해자가 되지 않기 위해서라도 우리 개개인이 온라인 안에서 이 악플러들에게 집단적으로 동조되지 않도록 분별력을 가져야 할 것입니다. 또한 열등감으로 뭉친 악플러들이 양산되지 않도록 가정에서, 사회에서 성숙한 인간관계의 양육이 필요합니다.

7. 심리학에서 배운 그들의 심리

사람들에게 상처를 주는 유형들을 정리하면서, 이런 유형 사람들의 가장 본질적인 심리는 고립에 대한 불안감, 남들보다 더 인정받고 싶은 욕심, 열등감. 질투심으로 시작된다는 것을 알게 되었습니다. 이것은 결국 자존감으로 연결됩니다. 이런 면들은 모든 사람이 다 갖고 있지만 어떻게 성숙하게 표현하고 감정을 관리하느냐에 따라 다릅니다.

사람은 종합적인 면을 다 갖고 있습니다. 어떤 사람에게는 나쁜 사람이 어떤 사람에게는 좋은 사람입니다. 어떨 때는 내가 감정적 피해자가 되기도 했고, 어떨 때는 가해자이기도 했습니다. 돌아보면 내가 당하고 해결하지 못한 상처가 오래가서 기억이 선명하지만, 나도 누군가에게는 그런 사람으로 기억될 수 있겠다는 생각도 합니다.

내가 상처도 받고 고립도 되어보면서, 그땐 내가 옳다고 생각하고 남을 함부로 대했던 미성숙함을 되돌아보게 됩니다. 위에서 언급한 우리에게 상처 주는 사람들의 유형을 나를 통해 더 잘 정리할 수 있었습니다.

| 고립의 불안감/ 남들보다 인정받고 싶은 욕심 |

인간의 심리와 관련해서 가장 많이 언급되는 이론이 있습니다. '매슬로의 욕구 이론'입니다. 매슬로의 욕구 이론은 인간의 욕구 5가지를 계층적으로 분류한 이론입니다. 1단계부터 생리적욕구, 안전의 욕구, 소속감과 사랑의 욕구, 존중의 욕구, 자아실현의 욕구가 있습니다. 매슬로는 하위단계인 생리적욕구부터 충족되어야만 그다음 단계의 욕구 충족을 추구할 수 있다고 합니다.

이 중에 3단계인 소속감과 사랑의 욕구는 내가 속한 사회(가족, 친구, 연인, 동료 관계 등)에서 소속감, 친밀감, 사랑을 받는 느낌으로 안정감을 갖는 것입니다.

한국인들은 '우리'라는 말을 가장 많이 사용한다고 합니다. 자신이 속한 집단에 깊은 유대감을 느끼고 서로 돕고 의존하는 상호 의존 방식도 강합니다. 따라서 한국인에게 소속감, 동질감으로 심리적 안정감을 얻는 것은 매우 중요 합니다.

이런 점에서 보면, 끼리끼리 남을 욕하는 사람들의 이면에는 동질감을 유지하지 않으면 배제될 수 있다는 불안감이 있습니다. 그래서 남을 욕할 때 어느 정도는 동조하거나 이질감을 드러내지 않기 위해 방관하기도 합니다.

남을 자주 욕하는 사람들은, 남을 욕한 행동 자체에 대한 불안함이 있습니다. 그래서 남을 욕하고 나서도 상대방이 그 말에 공감해 주길 바랍니다. 내가 싫어하는 사람을 다른 사람도 같이 싫어했으면 좋겠고, 다수가 동의할 때까지 틈만 나면 그 사람을 욕하기도 합니다. 이것은 고립에 대한 불안 때문입니다.

내가 속한 사회에서 안정감을 느끼고 싶은 것은 인간의 본능입니다. 그래서 끼리끼리를 만들어 소속감을 느끼게 되지만, 남을 배제하는 방법으로 나의 불안을 감소하는 것은 오히려 불안을 더 배가시키고 건강하지 않은 문화를 만들 수 있습니다.

남을 무시하고, 무례한 사람 이면에는 남을 무시해서 자신을 돋보이려는 심리가 있습니다. 남들보다 인정받고자 하는 욕구입니다. 자신이 시기하고 질투하는 상대를 깎아 내림으로서 자신의 열등감을 해소합니다. 무례하게 상대를 흔들어 자존감을 떨어뜨리고 남의 감정을 멋대로 휘두르며 자신의 우위를 확인하는 사람들입니다.

습관적으로 남과 비교하는 사람은 내가 진짜 원하는 것이 무엇인지도 모르고, 남들이 샀으니 나도 갖고 싶다는 생각으로 행동하게 된다고 합니다. 한때 아이들 사이에 노스페이스 열풍이 있었던 때가 있습니다. 노스페이스가 좋아 보이더라도 자신에게 없는 것을 그리 중요하게 여기지 않는 아이도 있지만, 남과 비교하는 습관을 지닌 아이는 노스페이스 상품 하나 없는 것만으로 열등감을 가질 수 있습니다. 자기만의 가치 기준이 없으면 자신을 다른 사람과 끊임없이 비교하면서 생각하는 방식을 취하기 때문입니다.

비교는 열등감의 원천입니다. 열등감은 질투심을, 질투심은 미움을, 무례함을 드러냅니다. 내가 나를 무너뜨릴 수 있는 강한 독입니다. 사람들은 누구나 한 번쯤 가졌을 열등감과 시기심, 남들보다 더 인정받고 싶은 욕심. 고립될까 봐 두려운 불안감이 내 안에 있다는 것을 인정하고, 타인을 이해한다면 그때부터는 새로운 나로 인간관계를 해 나갈 수 있을 것입니다.

| 우리가 꼭 피해야 할 사람 구별하기 |

이해가 필요하지 않은, 꼭 거리를 두어야 하는 사람 유형 **사이코패스/소시오패스/ 나르시시스트** 와 이들이 사람을 조종하는 방법인 **가스라이팅**에 대해 정리했습니다. 어느 심리학자는 사이코패스/소시오패스/나르시시스트를 악인 3인방이라고 표현하기도 합니다.

주로 이런 사람들은 타인에게 공감하지 못하고 연민과 애착이 거의 없습니다. 사람을 자기의 목적대로 도구화합니다. 이들은 주로 착하고 선한 사람들을 대상으로 가스라이팅해서 타인을 자신들의 뜻대로 조정하려 합니다.

특히 외로움을 많이 느끼고, 사람과의 관계가 많지 않았던 사람들은 이런 악인 3인방의 먹잇감이 되기 쉽습니다. 이들은 악인의 모습으로 다가오지 않습니다. 사기꾼처럼 가면을 쓰고 다정하게 다가와서 착한 얼굴로 나의 감정을 조종하고 결국 나를 피폐하게 만들 수 있습니다. 나도 모르게 다가와 있는 악인을 구별해서 나를 보호할 수 있도록 해야겠습니다.

사이코패스와 소시오패스

사이코패스의 특징

-사이코패스는 타인의 감정에 대한 공감 능력이 매우 낮습니다. 이들은 자신의 감정 또한 피상적이며, 타인의 감정을 조작하는 데 능숙합니다.

-계획적이고 조직적인 방법으로 행동합니다. 행동은 대체로 충동적이지 않으며, 차분하고 치밀하게 계획되며, 이에 따라 사회적으로 더 성공적일 수 있습니다.

-자신의 행동으로 인한 결과나 타인에게 미치는 영향에 대해 죄책감이나 후회를 거의 느끼지 않습니다. 자기 행동을 정당화하거나 다른 이에게 탓을 돌리는 경향이 있습니다.

-대외적으로는 매력적이고 지능적으로 보일 수 있으며, 사회적 상황에서도 잘 적응하는 모습을 보여줄 수 있습니다. 하지만 이는 주로 사회적 기대를 조작하고 자신의 진정한 모습을 숨기기 위한 행동일 수 있습니다.

소시오패스의 특징

-소시오패스는 감정이 불안정하고, 때때로 강렬한 분노를 포함한 감정적 폭발을 경험할 수 있습니다. 이들은 사이코패스보다 감정의 기복이 더 자주 발생합니다.

-충동적이어서, 법적 문제나 대인 관계에서 문제를 일으킬 가

능성이 높습니다.
-소시오패스는 인간관계를 유지하는 데 큰 어려움을 겪습니다. 타인과의 유대가 약하며, 관계 갈등이 많습니다.

공통적인 특징(사이코패스와 소시오패스)
공감 능력 부족/사회적 규범이나 도덕적 가치를 무시하는 경향이 있습니다. 사이코패스는 더 조직적이고 계산적인 반면 소시오패스는 불안정하고 충동적인 행동이 특징입니다.

나르시시스트

-자기애성 인격장애로 자신이 남들보다 특별하고 우월하다고 느끼며, 공감 능력이 부족하고, 숭배받고자 하는 욕구를 보입니다.
-자신이 원하는 것을 얻기 위해 수단과 방법을 가리지 않는 성격이며, 사람을 도구로 대하고 속임수와 조작에 능하고 도덕과 윤리는 무시합니다.
-사이코패스와 소시오패스는 반사회적 성향이 발현되면 범죄로 이어질 확률이 높지만, 나르시시스트는 범죄 이전 단계에 머물기 때문에 악행을 구분하기 어렵습니다.

나르시시스트의 특징(김경일_'타인의 마음')

•자신의 중요성을 과장해서 지각한다.

•남들로부터 언제나 칭찬과 찬사를 받고자 한다.

•자기 검증하지 않는다.

•자신이 돋보이려고 주변 사람을 들러리로 세운다.

•자신의 문제는 특별해서 특별히 높은 지위의 사람(기관)만 관련해야 한다고 생각한다.

•누군가 자기를 비난하거나 싫어한다면, 자신을 질투해서 그런다고 생각한다.

•자신의 목적을 달성하기 위해 타인을 이용한다.

•자신과 대립하는 모든 사람을 나쁜 사람으로 만든다.

가스라이팅

-가스라이팅 대상에게 '너는 이런 사람이야'라는 암시를 주는 말과 행동을 지속해서 합니다. 이를 통해 심리적으로 무기력하게 만들어서 통제하고 지배하려는 목적이 있습니다.

-가스라이팅은 주로 군대, 회사와 같은 수직적 권력관계, 보호자, 협력자, 남성우위 부부관계와 같은 심리적 지배관계에

서 발생합니다. 대부분 내 편처럼 보이기 때문에 가스라이팅을 쉽게 알아차리지 못합니다.

-가스라이팅은 반복적으로 나의 기억, 인식, 감정을 조작하여 나 자신을 의심하게 만들고 가스라이터의 말과 행동이 진실이라고 주장하여 가스라이터를 의존하게 만듭니다. 가스라이터의 잘못이나 비난을 오히려 나에게 돌리고, 말을 비틀거나 상황을 과장하여 나를 혼란스럽게 합니다.

가스라이팅의 4단계 (김경일_'타인의 마음')

1단계 관계 형성 : 친밀한 관계를 맺는다

2단계 기억 왜곡: 한 번의 실수에도 과거까지 소환해 비난함으로써 자존감을 잃게 만든다.

3단계 심리적 고립: 주위 다른 사람과의 만남을 단절시켜 고립시킨다.

4단계 무시 : 인간 이하로 취급한다. 그러나 어느 날 친절하게 대하면 그에게 복종할 수밖에 없게 된다.

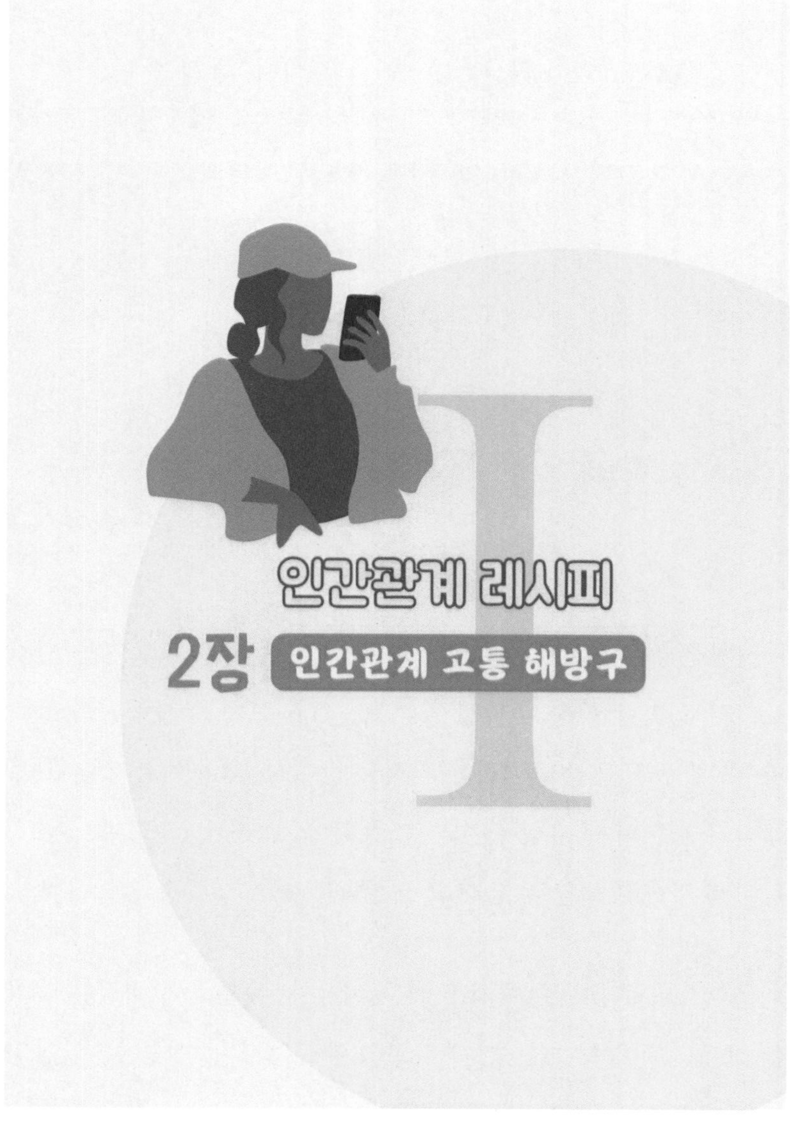

인간관계 레시피

2장 인간관계 고통 해방구

인간관계 레시피 I. | 인간관계 고통 해방구

1. 인간의 관점 '다름' 심리적 이해

사람은 자기 경험을 기준으로 상황을 판단합니다. 아는 만큼 보이고 경험한 만큼 이해할 수 있습니다. 그리고 사람들의 생각이 다 내 생각과 같을 거라는 착각을 합니다. 내가 아는 것을 모두 상식적으로 다 공유할 것이라는 생각에 '어떻게 그럴 수 있지?' 하며 도저히 이해할 수 없다고 표현하는 경우가 종종 있습니다.

우리가 서로를 이해하기 어려운 이유는 두 사람이 똑같은 상황을 보더라도 각자 보는 면이 다르기 때문입니다. 예를 들어, 동양인은 사물을 볼 때 겉모습보다는 그것을 이루고 있는 본질을 보고, 서양인은 사물을 볼 때 기능적인 역할을 본다고 합니다. 원기둥 모양의 나무토막 하나를 놓고도 동양인은 원기둥을 이루고 있는 나무를 보지만, 서양인은 원기둥의 모양을 보고 어디에 끼워 넣을 수 있는지 그것의 역할을 본다는 것입니다. 사람들은 자신이 처한 환경과 조건에 따라 같은 정보도 다르게 받아들이기 때문에 세상을 보는 관점도 다른 것입니다.

사람 사이의 갈등은 나와 상대방의 관점이 다르기 때문이지 상대방이 틀리기 때문이 아니라는 것을 알면, 상대방이 왜 그렇게 할 수밖에 없었는지 원인을 이해해 볼 수 있는 여지가 생길 것입니다.

| 계획을 세우는 리더와 실행하는 리더 |

나의 남편이 '이거 이렇게 하자'라고 강조하면, 그것을 위해 열심히 행동하고 실천하는 역할은 항상 나만 하고 있을 때가 많았습니다. 어느새 나만 책임감을 느끼고 열심히 실행하고 있는 걸 느끼면, 화가 나서 당신은 왜 안 하냐고 막 퍼부어 댈 때가 있었습니다. 그리고 무엇을 계획할 때 남편은 큰 목적과 방향에 대한 신선한 아이디어들을 내어 추진하자고 하면, 그 순간에 내 머릿속은 이걸 어떻게 실행하지? 하는 실행의 방법과 가능성을 더 중요하게 여기고 반박하게 됩니다. 남편은 왜 그렇게 부정적인 것만 생각하냐고 하지만 나는 "안 하겠다는 게 아니라…. 이렇게 발생할 수 있는 문제점을 생각해 보자는 거지!" 합니다.

남편은 계획이 서면 일단 추진하고 닥치는 문제를 해결하면서 나아가는 거시적인 관점을 가지고 있고, 나는 실행 그 자체에 더 무게감을 두고 발생할 수 있는 문제들을 먼저 구체적으로 점검해 보며 가능성을 예측해 보는 비판적 관점을 먼저 사용하기 때문입니다. 그래서 뭔가를 시작할 때는 늘 갈등이 생깁니다.

2차 세계 대전에서 독일군을 이긴 아이젠하워과 패튼의 연합군에 대한 일 예는 거시적인 시각을 가진 지휘관 아이젠하워와 현장에서 직접 뛰는 실천주의적 지휘관 패튼의 다름이, 갈등 관계였지만 서로 보완 협동이 돼서 전쟁에서 승리할 수 있었다는 것을 읽었을 때 남편과 나의 모습이 생각이 나서 크게 웃었던 적이 있습니다.

서로가 무엇이 다른지를 이해하면 갈등하면서도 보완하는 관계가 될 수 있는데, 나와 같지 않아서 이해가 안 된다고, 말이 안 통해서 힘들다고만 했던 일들이 알고 나니 재밌게만 느껴졌습니다.

| 접근 동기와 회피 동기 |

서로 다른 관점을 이해하기 전에는, 남편은 나에게 자꾸 부정적으로 말해서 기운 빠지게 한다고 말하고, 나는 남편에게 당신은 너무 대충 다 잘될 거로 생각해! 라면서 서로 비난하고 서운해할 때가 많았습니다.

남편은 사소한 일은 대충 넘어가는데, 나는 예민하게 사사건건 문제를 지적하고 까칠하게 따져 묻습니다. 본질에 더 관심이 많은 나는 본심을 파헤치고 싶어 합니다.

문제상황이 생기면, 어떤 사람은 문제상황을 세부적으로 들여다보고, 이 일이 왜 일어나게 되었는지 잘잘못을 따져서 정면 돌파를 하는 사람이 있고, 어떤 사람은 잘잘못을 따지기보다는 새로운 대안을 제시해서 국면을 전환해 문제로부터 빨리 벗어나 다음 단계로 추진해 나가려고 합니다.

이것은 문제상황을 해결하는 행동의 동기가 다르기 때문입니다.

심리학에서 '접근 동기'와 '회피 동기'라는 용어가 있습니다. 접근 동기는 즐겁고, 성취감을 주는 긍정적인 감정과 경험을 얻고자 할 때, 열심히 일하거나 취미활동 같은 특정 행동을 하게 되는 동기를 말합니다. 반면 '회피 동기'는 고통, 실패와 같은 부정적인 결과나 불쾌한 상황을 피하려고 도전을 회피하는 특정한 행동을 하는 것을 말합니다.

사람에 따라 이 두 동기 중 어떤 동기가 활성화되어 있느냐에 따라 낙관적이고 적극적인 태도 또는 소극적인 태도를 보일 수 있습니다. 따라서 나의 남편은 접근 동기를 주로 사용하고, 나는 회피 동기를 주로 사용했다는 것을 알 수 있습니다.

우리 부부의 이런 다른 면을 이해하는 것이 참 어려웠었는데, 왜 남편의 사고방식과 행동이 나와 다른지를 알게 되었습니다. 심리학적으로 인간의 다름의 기본을 이해하고 나니 내 생각과 다르게 표현하고 행동한다고 무작정 감정적으로 대응할 일이 아니라는 것을 알았습니다. 그리고 우리가 달라서 서로 부족한 점을 보완하며 가정을 꾸려올 수 있었구나 하고 이해할 수 있었습니다.

그래서인지 서로 성향이 같은 사람보다는 다른 사람끼리 결혼하는 게 좋다고 합니다. 또 일을 하는 데도 관점이 다른 사람과 함께하는 것이 좋은 이유가 성향이 같으면 한 시각으로만 보고 다른 면은 보지 못하기 때문에, 다양한 관점에서 상호보완이 되어 문제상황을 피하거나 대비할 수 있고 더 창의적으로 일할 수 있기 때문이라고 합니다.

| 외향성과 내향성 |

인지심리학자들은 '외향성'과 '내향성'을 타인에게 쓸 수 있는 에너지의 양이 다르다. 즉, 하루에 만날 수 있는 사람의 수가 다른 것이라고 합니다. '외향적인 사람들은 관심이 외부로 향해있어 활동적이고, 내향적인 사람들은 더 많은 에너지를 내면에 집중한다.'라고 설명합니다. 타인에게 쓸 수 있는 에너지가 많은 사람과 타인에게 쓸 수 있는 에너지양이 적은 사람으로 구분할 수 있다는 겁니다.

우리는 사람들과 잘 어울리고, 활동적이고 활기 있게 대화하는 사람들을 보면 '외향적이다'라고 하고, 조용하고 말이 없고 혼자 있는 걸 즐기는 사람을 '내향적이다'라고, 인식합니다. 그런데 활달하고 적극적인 사람이라고 무조건 외향적인 사람이 아니고, 내향적이라고 다 낯을 가리고 사람과 대면하는 것을 싫어하는 것은 아닙니다.

사람들이 나를 볼 때, 사람들과 있을 땐 적극적이고 활동적이어서 외향적이라고 주로 인식합니다. 사실 저는 혼자 있는 것을 더 즐기고 편안해합니다. 심지어 혼자 있는 시간을 따로 확보하려고 애를 씁니다. 혼자 산책하고, 여행하고, 혼자 조용히 책 읽는 그 시간에 평온함을 느낍니다. 가족끼리 즐기는 것을 좋아하고, 가족 이외의 사람들을 자주 만나지 않습니다. 모임이 필요하거나 소중한 사람에게는 먼저 연락해서 만남을 주도하지만, 일상적 모임을 따로 만들지 않습니다. 카톡방에서도 필요한 말 이외에는 길게 이야기를 나누지 않습니다. 이런 저를 외향적인 사람이라고 단정할 수는 없습니다.

외향적인 사람도 타인과의 관계에서 사회적 에너지를 소진하면, 조용히 혼자서 내면을 충전할 시간이 필요합니다. 내향적인 사람은 사회적 에너지가 빨리 소진되기 때문에 혼자 충전 시간을 더 자주 갖는 것입니다. 따라서 적극적인 태도와 소극적인 태도는 사회적 기술의 문제이지 외향성과 내향성의 차이는 아니라는 생각이 듭니다. 또한 사람들은 두 가지 성향을 다 가지고 있어서 어느 상황 조건에서는 외향적 성향이, 어느 상황 조건에서는 내향적 성향이 발현되는 것 같습니다.

그래서 저 사람을 외향적이라고 생각했는데 왜 갑자기 잠적하였지? '왜 전처럼 행동하지 않지?' 하면서 나에 대한 상대의 태도를 오해하거나 사람의 마음이 변했다는 생각을 섣불리 하지 않아야 합니다. 저 사람이 좀 충전이 필요한 시기인가 보다'라고 여유 있게 기다려 주는 것이 좋겠습니다.

2. 문제는 내가 아니야! 감정 폭력 대응하기

나를 함부로 대하는 사람 때문에 감정의 상처가 생겨도

'저 사람의 마음을 내가 오해하는 걸까?',

'내가 뭐 잘못한 게 있어서일까?',

'괜히 말을 꺼냈다가 오히려 사이만 더 나빠지는 게 아닐까?',

'혹시 말다툼하게 되면, 제대로 대응을 못 해 망신만 당하면 어쩌지?'

오만가지 생각을 하며, 밤새 이불킥 하느라 잠도 못 잡니다. 그냥 참고 넘어갈까, 계속 이러면 어쩌지?, 내가 대응할까? 언제 어떻게 말하는 것이 좋을까 생각할 때. 그렇게 했을 때 맞닥뜨리는 현실을 상상하면 심장이 떨리고 온몸에 긴장감이 느껴집니다.

그래도 용기를 내야 합니다. 어떤 상황이 벌어지더라고 망신을 당하게 되더라도 시도 해야 하는 이유는, 누구도 나를 함부로 모욕하도록 내버려 두면 안 되기 때문입니다. 그리고 나의 고통을 표현하지 않으면 상대는 멈추지 않을 것이기 때문입니다.

상황이 내가 상상한 대로 되지 않더라도, 드러난 문제는 또 해결하면 되는 겁니다. 드러나지 않는 것이 더 문제일 수 있습니다. 그리고 이 과정을 통해 용기를 낸 나 자신을 내가 기억합니다. 다음에 관계의 문제가 발생했을 때, 예측할 수 있는 하나의 경험을 더 얻게 되는 것입니다.

남을 욕하고 고립시키는 습성을 가진 사람의 타깃이 된 적이 있습니다. 그런 사람은 본인의 감정 상태에 따라 어떨 때는 친절했다가 어떨 때는 무례했다가 하기 때문에, 왜 나한테 저럴까? 하며 그 사람만 보면 기분을 살피게 되고, 내가 뭐 잘못한 게 있나? 하며 긴장하게 됩니다.

어느 날 '정말로 이 사람이 그동안 나를 싫어해서 나한테 무례하게 굴었었구나'라는 확신이 드는 행동을 한 사건이 발생했습니다. 대놓고 내 뒤에서 다른 사람과 나를 비난하는 대화를 한 사건이었습니다. 이 사건을 계기로 내가 하지 않은 말로 다른 사람들이 나를 오해하고 있다는 사실을 확인하기까지 했습니다.

고민 끝에 대화를 시도해서 미안하다는 말을 받아 냈습니다. 그리고 다른 사람들에게 내가 하지 않은 말로 오해하지 말 것을 공공연히 공표를 해버렸습니다.

끼리끼리 남을 욕하는 사람들의 타깃이 되었던 어린 동료가 있었습니다. 남을 욕하는 습성을 가진 사람의 친한 동료들은 비슷한 습성을 가지고 있어서, 그런 사람들이 무리를 지으면 그들의 힘은 더욱 강력해집니다. 그들의 타깃이 된 사람에 대해서는 그 타깃을 모르는 사람들도 그를 나쁜 사람으로 알게 될 정도로 영향력이 큽니다.

내가 그들과 대놓고 감정적으로 대항하기보다는, 다른 사람들에게 동료가 그 사람들에게 고통받고 있는 상황과 사실을 알려, 오해가 번지지 않도록 하고 보호하고 지원할 수 있는 사람이 많아지도록 하는 것도 한 방법입니다.

어떤 사람이 모임이나 조직에서 무시당하고 있다면, 함께하는 사람도 나쁜 사람들의 행동이 계속되도록 방관 하지 말아야 합니다. 그의 타깃이 내가 될 수도 있기 때문입니다.

나에게 지속해서 무례한 사람에게는 애써 친절할 필요가 없습니다. 그런 사람에게 인정받으려고 노력할 필요도 없습니다. 상대는 나에게 계속 무례한데, 나는 착하게 친절하게 하면 상대는 나를 더 쉽게 공격합니다.

나에게 함부로 하는 사람과 대화 할 때는, 문제의 팩트만 구체적으로 얘기하면 됩니다. 그리고 내가 느낀 불쾌했던 감정을 솔직하게 얘기합니다.

'나에게 왜 그래?', 왜? 라는 말로 시작하면

'네가 싫어서 그래', '네가 그런 행동을 했잖아' 아니면 '내가 뭐? 너 이상하다!'라고 역으로 당할 수 있습니다. 상황의 팩트만 얘기해서 상대에게 무례한 행동을 알리고, 나에게 예의를 갖춰서 대하라고 당당하게 표현해야 합니다.

무례한 사람과 팩트로 대화해야 하는 이유는 나의 분노 감정으로 시작한 대화가 나만 부끄럽게 끝날 수 있기 때문입니다. 나의 부정적인 감정을 먼저 다스려야 합니다. 화가 치밀어 올랐을 때는 잠시 멈추거나 일단 상황에서 벗어나거나 감정을 먼저 가라앉히는 것이 우선입니다. 그리고 나서 사실의 중요성 정도를 따져보고 해결 가능성, 대응의 정도도 고려해 보는 겁니다.

상습적으로 나에게 화를 내는 사람에게는 '무엇이, 어느 정도로, 어떤 문제이지 정확히 얘기해 달라고 하거나', 내가 말하는 것을 끊고 '아니, 됐고!'를 상습적으로 할 때는 '그 말이 무슨 뜻이야?'라고 되묻는 것도 방법입니다.

그래도 멈추지 않는 사람이 있습니다. 오히려 자신의 자존심을 건드렸다고 생각하고, 자신의 자존심을 살리기 위해 시시때때로 공격할 틈을 노리기도 합니다. 착한 사람은 이런 사람을 감당하기 쉽지 않습니다. 그래서 나를 위한 최소한의 방어기제도 만들어 놓아야 합니다. 좋은 동료나 상사에게 벌어지고 있는 사실들을 얘기해서 나의 아군을 만들어야 합니다.

그리고 무례한 사람에 대해 무관심 해버리는 겁니다. 감정적인 대응도 하지 않고, 친절할 필요도 없습니다. 시비를 걸어오면, "아 그래요?" 하고 상대방 의견에 반응하면 그만입니다. 그러거나 말거나, '너는 그렇게 살아라' 라고, 무시해 버리는 겁니다. 회사는 회사일 뿐. 그런 직장동료가 가족과 친구처럼 내 인생이 서로 영향을 주고받는 중요한 존재는 아니기 때문입니다.

나는 나의 성장과 더 좋은 인간관계에 집중하면 됩니다.

3. 좋은 사람 내 편, 넓은 인간관계

내 편이 있다는 것은 삶에 안정감을 줍니다. 가정에서도 부부가 서로에게 편이 되어줄 때, 가족 간에 서로의 편이 되어 지지해줄 때 안정감을 느끼는 것처럼, 직장에서도 내 편이 있다는 것은 소속감도 생기고, 고립에 대한 불안감도 줄어듭니다. 나를 지지해주는 사람이 있어야 내가 좀 더 현명한 판단도 할 수 있고, 나를 힘들게 하는 사람으로부터 좀 멀리할 힘도 생길 수 있습니다. 그렇게 나의 안전 기지를 구축하는 것도 중요합니다. 더불어 좋은 사람이 내 편이면 참 좋겠지요.

외향적이든 내향적이든, 적극적이든 소극적이든 그런 성향에 상관없이, 말이 신중하고 공감 능력이 있는 사람이 좋은 사람입니다. 그리고 우리끼리의 관계뿐 아니라 다른 사람도 존중하고 배려하는 마음이 있는 사람이 좋은 사람입니다. 더 나열하자면 남의 속사정을 알고 배려하는 사람, 남의 허물을 모른 척할 줄 아는 사람, 새로운 일에 도전하는 기쁨을 아는 사람입니다. 다 완벽하게 좋은 사람이 없더라도, 내가 그런 사람이 되면 함께하는 사람도 그렇게 될 수 있고 주변에 그런 사람들이 모이게 됩니다.

그런 사람이 바로 지금은 내 옆에 없을 수 있습니다. 상황이 어쩌다 혼자 점심밥을 먹어야 하는 때도 있고, 나와 소통이 잘 되는 사람이 없고 인간관계 문제를 의논할 사람이 없을 수도 있습니다.

괜찮습니다! 더 좋습니다!

혼자 있는 시간을 더 즐길 수 있습니다. 좋은 곳에서 잘 차려진 점심밥을 여유롭게 즐기고, 가볍게 산책을 즐기면서 정신적으로 충전하는 시간을 가지면 남들과 다른 활력소가 생깁니다. 그리고 내 인생에 중요하지 않은 사람과의 관계 문제는 무시해 버리고, 나 자신에게 집중하는 시간을 가지면, 외로움의 늪에 빠지지 않습니다. 더 당당하게 어깨를 펴면 그 기운은 사람들을 더 끌어당깁니다.

밝은 기운은 더 넓은 인간관계를 만듭니다. 사람은 이기적이어서 나에게 유익이 되는 사람과 함께하고 싶어 합니다. 내가 호감 있는 사람이 되면, 지난 관계와는 다른 새로운 인간관계가 펼쳐집니다.

왜냐하면 사람은 비슷한 성향끼리 어울리기 때문입니다. 나와 이질적인 사람보다, 나와 유사한 사람과 대화도 더 잘 통하고, 서로 이해의 수준도 높아서 정신적 에너지를 덜 쓰기 때문에 자연스러운 현상입니다. 혼자 있는 시간에 내가 더 좋은 사람이 되도록 노력하는 것이 좋은 사람을 만나고 관계를 유지하는 지름길입니다.

고립이 외로움이 아니라 더 좋은 기회입니다. 나에게 부정적인 영향을 주는 끼리끼리에서 벗어나서 내가 배우고, 배울 점이 있는 사람들과 인연을 확장 해가면, 나와 긍정적인 영향을 주고받을 좋은 사람은 곁에 꼭 생깁니다.

4. 과감하게 관계 정리!

관계주의 문화가 강한 한국 사회에서 한때 '사람이 답이다'라는 말이 유행했던 적이 있습니다. 아마도 2000년 전후였던 걸로 기억합니다. 이 말은 저에게 얼마나 멋지고 강력했는지, 사회생활에서는 인맥도 많이 만들고, 모든 사람과 잘 지내야 하겠다고 다짐한 계기가 되었습니다. 많은 사람을 만나고 모든 사람과 친해지고, 지속해서 연결을 맺는 게 삶의 답이라고 생각했었습니다.

그래서인지 인간관계가 어긋날 때는 인생의 시험문제에 정답을 틀린 것처럼 많이 고민하고 관계가 개선이 안 될까봐 불안해하고, 인간관계에 정답이 어디 있는지 찾으려고 애써왔습니다. 핸드폰에 저장된 천 명이 넘는 전화번호를 붙들고, 언제 다시 연락될지 모르는 사람들의 번호를 지우지도 못하고 끼고 있었습니다.

내가 모든 사람에게 중요하고 소중한 사람이 되어야겠다는 해맑은 착각은, 내가 남에게 도움을 주지 못할 때는 스스로 무능력하게 느껴졌고 남이 나를 싫어하는 것 같을 때는 내가 뭐 잘못한 게 있는지 나를 자책하고 타인의 눈치를 먼저 보게 되는 이상한 관계의 늪에 빠지기도 했습니다.

모든 사람이 나와 친해질 수 없고, 모든 사람이 서로 소중한 관계가 될 수는 없습니다. 사람마다 그 역량은 달라도 사회적 에너지는 한정되어 있어서 자신의 에너지 분배를 전략적으로 해야 관계의 질도 좋아지고, 사회적 만족감도 좋아질 수 있습니다.

'던바의 수'가 있습니다. 진화심리학자 로빈 던바의 연구에 따르면, 인간은 뇌 처리 능력에 한계가 있어서 한 번에 유지할 수 있는 안정적인 사회적 관계의 수가 제한되어 있다고 합니다. 그래서 사람들은 대략 절친한 친구는 5명, 친한 친구는 15명, 좋은 친구는 50명, 그냥 친구는 150명의 관계를 유지할 수 있다고 합니다. 따라서 아는 사람이 많다고 그 사람의 인간관계가 건강하다고 할 수는 없습니다. 서로에게 어떤 영향을 주고받고 있는지, 행복감을 주는 관계인지 고통을 주는 관계인지. 고통을 주는 인연에 연연해하고 있진 않은지. 과감하게 내 마음속에서 관계를 정리해 보아야 합니다.

인간관계를 정리한다는 말이 마치 물건을 정리하는 것처럼 느껴져서 매정하게 느껴지기도 합니다만, 고통스러운 인간관계는 과감하게 정리하고 나만의 관계망을 다시 그려보는 것은 관계의 양과 질을 건강하게 만듭니다. 그리고 인간관계에서 '주체적인 나'가 되는 첫걸음이라고 생각합니다.

관계를 정리하면, 나 자신과의 대면 시간도 늘릴 수 있고 더 좋은 인간관계를 들일 수 있는 여유도 생깁니다.

나를 중심으로 원을 세 개 그려보세요.

작은 원, 조금 더 큰 원, 가장 큰 원. 그리고 가장 친한 사람 작은 원 안에, 친한 친구는 작은 원과 중간 원 사이에, 그냥 친구는 중간 원과 큰 원 사이에 점을 찍듯 해보세요. 그리고 원 밖에 아는 사람들을 그려보세요. 만나고 연락하는 빈도수에 따라 정서적 거리를 나타내 보는 것입니다.

그룹으로 표시해도 좋고, 개인으로 표시해도 좋습니다. 이 거리는 왔다 갔다 유동적일 수 있습니다. 시간이 지나면서 거리가 점점 가까워질 수도 있고, 거리가 멀어질 수도 있습니다. 인간관계도 유효기한이 있고, 상황과 조건에 따라 달라질 수 있다는 것을 받아 들어야 관계에 연연하지 않게 됩니다. 그리고 원에 넣지 못

하는 특별구역도 만들어서 내 마음에서 꼭 정리해야 하는 관계도 구분해야겠습니다.

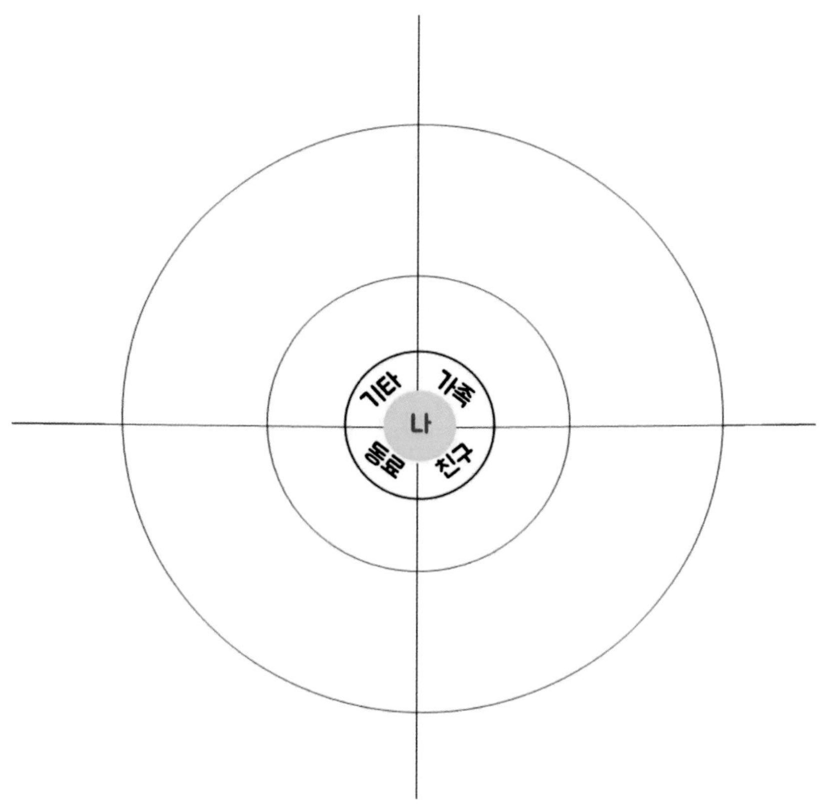

*심리.정서적 거리 기준으로 작성

*심리.정서적 거리가 멀다고 좋지 않는 관계는 아닙니다.

*거리가 먼 느슨한 관계가 더 긍정적인 관계일 수 있습니다.

사람을 이분법적으로 정리하기는 어렵습니다. 사람마다 다 배울 점이 있고 장점이 있는데, 맘에 안 드는 일부분 때문에 나쁜 사람 좋은 사람 함부로 평가하는 것은 섣부를 수 있습니다.

나에게 어떤 존재인가. 소중한 사람인가, 중요한 사람인가. 필요한 사람인가를 고려해 볼 필요도 있습니다.

관계를 명확히 구분하는 것은 쉽지 않지만, 확실히 소중한 사람과 확실히 정리해야 할 두 관계만 정리하는 것도 좋은 방법입니다.

매일 봐야 하는 관계인데, 좋지 않은 관계를 유지하는 것이 부담스러워서 어떻게든 좋은 관계를 유지하려고 하다가 마음에 상처만 입고 고민만 하고 있을 수 있습니다.

인간관계는 상대적이기 때문에 인간관계를 좋게 유지하기 위해서는 내 마음만 좋게 하고 싶다고 관계가 개선되지 않습니다. 상대가 그럴 마음이 전혀 없으면 혼자 애쓸 필요가 없습니다. 언젠가 상대의 태도와 마음이 성숙해져서 좋은 관계를 원한다면, 그때 열린 마음으로 함께 노력하면 됩니다.

지금 내 마음에서 정리해야 할 인간관계 유형을 아래 정리해 보았습니다.

반드시 끊어야 하는 인간관계 유형

- 나의 자존감을 떨어뜨리는 사람
- 무례하고 무시하는 사람 · 남을 공격하는 사람
- 모멸감을 주는 사람 •시기 질투가 많은 사람
- 남을 욕하고, 말을 옮기는 사람
- 판단하고 분석하고 함부로 지적하는 사람
- 점수를 매기고 비교하는 사람
- 만나기만 하면 기분 나빠지는 사람
  (비꼬는 말, 무시하는 말, 자기 자랑만 하는 사람)
- 감정 기복이 심한 사람(마음이 건강하지 못함)
- 부정적인 말로 나를 무기력하게 만드는 사람
- 사람을 구분해서 일관성 없게 대하는 사람
- 그 사람 때문에 내가 경제적으로 어려워진 경우

인간관계를 정리하는데 100% 옳고, 그른 것은 없습니다. 누구에게 이것을 평가받을 일도 아닙니다. 상대는 다른 사람에게는

좋은 사람인데 나에게만 안 맞는 사람일 수도 있고, 그 반대일 수도 있습니다. 내가 상대를 오해하는 건 아닐지 생각할 수도 있습니다.

내 맘을 주관적으로 들여다봤을 때 내가 그 사람 때문에 고통스러운지, 그 사람을 정리했을 때 내 마음에 평안히 생기는지를 기준으로 삼으면 될 것 같습니다.

'손절한다'라는 표현을 많이 씁니다. 이것은 어디까지나 내 마음의 거리를 두는 것이어야지, 대놓고 '나 너 싫어', '너 나 싫지!?', '너와 나는 이제 끝이야'라고 하는 것은 하지 않아야 합니다. 오늘 보고 아예 안 볼 사람이라면 몰라도, 서로 싫은 관계가 더 강화되어 생활이 힘들 수 있습니다. 서서히 연락과 만나는 빈도수를 줄여나가는 것이 좋은 방법입니다.

사람은 언제 어떻게 다시 만날지 모릅니다. 그리고 일에 있어서는 그 사람과 나의 다름이 보완될 수도 있습니다. 또 다른 상황과 조건에서는 태도와 성향이 바뀔 수 있어서 되도록 그와 내가 온전한 적이 되지 않는 것이 좋습니다.

<관계 정리>

※ 모임/단체포함

진정한 관계	가족/친지	
	친구	
	동료	
	기타(사회/SNS)	
느슨한 인간관계	가족/친지	
	친구	
	동료	
	기타(사회/SNS)	
관계 정리 *심리적 거리를 두어야 하는 사람	남을 자주 욕하는 사람	
	무시하고 모멸감을 주는 사람	
	무례한 사람 (타인 존중이 부족한 사람)	
	음흉한 사람 (조용히 간을 보는 사람)	
	나를 기운 빠지게 하는 사람 (비교, 부정적, 이용하는 사람 등)	
	친한 것 같은데, 기분 나쁜 사람	

5. 사람에게 휘둘리지 않기 위해

'착하게 살아라.', '상대가 그런다고 너도 똑같이 굴면 똑같은 사람 된다.', 성경에 '오른뺨을 치면 왼뺨도 돌려대라'라는 도덕적 언어들은, 인간관계에 있어서 저를 가장 혼란스럽게 한 말입니다. 우리는 자신도 모르게 '착한사람증후군'을 강요받고 살고 있었는지도 모릅니다.

'착한사람증후군'에 걸린 사람은 모두에게 사랑받으려고 지나치게 애를 씁니다. 남의 감정을 상하게 할까봐 자기주장도 잘 못하고, 겉으로 자기감정을 잘 드러내지 않습니다. 그래서 남의 부탁을 거절하는 것도, 남에게 부탁하는 것도 어려워합니다. 남에게 맞추려고 노력하고, 과도하게 남의 눈치를 많이 봅니다. 스스로 완벽해지려고 하며 남의 시선과 평가에 매우 민감합니다.

내 안에 이 '착한사람증후군'을 진짜 '좋은 사람'과 구분해서 분류해 내기까지 오랜 시간이 걸린 것 같습니다.

인간관계에서 '좋은 사람'은 남을 존중하고 배려하는 태도가 누구에게나 일관됩니다. 남을 배려하면서도 자신의 감정과 욕구를 과도하게 억제하지 않고, 자기 자신도 존중하면서 남도 존중하는 건강한 관계를 유지하는 균형을 갖고 있습니다.

사람은 모두에게 사랑받을 수 없습니다. 나의 의도와 상관없이 나와 맞지 않는 사람도 있고, 나를 괜히 싫어하는 사람도 있습니다. 남의 마음은 내가 어쩔 수 없는 영역입니다. 그렇다고 나와 맞지 않는다고 모두 적을 만들 필요는 없지만, 나와 맞지 않는 사람과 맞게 하려고 애써 노력할 필요는 없습니다.

내가 인간관계에 대한 명확한 가치관과 기준이 있으면, 남의 눈치를 보며 남이 원하는 데로 맞춰서 행동하지 않고, 나의 인간관계 기준과 형편대로 남을 배려하고 존중합니다. 그리고 상황에 센스있게 대처하게 됩니다.

우리는 보통 내 기준으로 남의 마음을 정하고, '저 사람은 이럴 거야'라고 타인의 마음을 맘대로 해석하려 듭니다. 남은 내가 아닙니다. 사람은 제각각 다릅니다. 내가 남에게 맞추는 것보다는 내가 남에게 어떤 상대가 될 것인가를 먼저 결정하는 겁니다.

내가 남에게 어떤 상대가 될 것인가!

먼저 나에게 무례한 사람에 대해서는, 그가 나에게 중요한 사람인가?, 상황이 문제인가? 사람이 문제인가?, 나와 그의 관계에서 무엇 때문에 내가 괴로워하는지 문제 사실을 바라봅니다. 그리고 내가 상대와의 관계에서 내가 할 수 있는 일과 없는 일을 구분해 보는 겁니다.

무례한 사람에게 감정이 아닌 팩트를 알려서 모욕을 멈춰 줄 것을 정중하고 당당하게 요구해 보고, 그래도 소용없으면 그 사람이 그러거나 말거나 내버려 두면 됩니다.

똑같이 무례할 필요는 없지만 친절할 이유도 없다고 마음먹는 것입니다. 그 사람이 나를 억지로 좋아하게 만들 수 없고, 나를 싫어하는 그 사람 마음의 문제를 내가 해결할 수는 없습니다.

나에게 좋은 사람 나쁜 사람 상관없이 거절해야 할 상황이 생깁니다. 거절해야 할 상황에는 거절 여부와 거절 이유를 명확하게 말합니다. 상대가 어쩔 것이라는 감정을 추측해서 사이가 나빠질지도 모른다고 불안하게 생각하지 않는 것입니다.

이렇게 먼저 남의 눈치를 보면서 남에 맞춰 생각하지 않고, 인간관계에서 내가 원하는 나를 설정해 놓고 그 원칙에 따라 행동하면 됩니다. 그러면 나와 다른 남의 기준도 인정하게 되고, 나를 만만히 보고 감정적으로 휘두르려는 무례한 사람에게도 여유 있고 단호하게 대하게 될 것입니다.

내가 남에게 약해 보이지 않는 훈련을 하는 것도 중요합니다. 나의 말과 행동의 습관에서, 사람을 상대하는 사회적인 기술에서, 업무적인 능력에서 부족한 나의 문제를 채워나가면 인간관계는 더욱 폭넓고 성숙한 방향으로 진행될 것입니다.

어느 심리실험에서는 거만한 자세를 취하고 있었던 사람이 위축된 자세를 취했던 사람보다 게임에서 더 도전적으로 수행하고 성과도 좋았다고 합니다. 또 스트레스 호르몬 분비도 위축된 자세를 취했던 사람보다 훨씬 적게 분배되었다고 합니다. 이처럼 인간은 자기의 신체 상태와 같이 자기의 생각을 유지하려고 하는 경향이 있다는 연구 결과가 있습니다.

내 마음을 담대하게 하고 싶다면, 마치 동물들이 포식자 앞에서 자기 몸을 부풀려 위협을 하듯이, 나를 긴장시키고 위축되게 만드는 사람을 만나기 전에 당당한 자세를 취해 보는 겁니다.

매일 어깨를 펴고 당당하게 걷는 연습을 하고, 호흡도 크게 하고 목소리도 자신 있게 내 보는 이런 사소한 행동은 호르몬을 바꿔서 자신감 있게 만들어 줄 것입니다.

다양한 인간관계에서 나를 평안하게 지켜내는 건 만만치가 않습니다. 남에게 맞춰 살다가 화병이 나기도 하고, 내 마음 같지 않은 남 때문에 실망감에 힘들어도 하고, 눈치 없이 나만 바라보며 살다가 미움을 받기도 합니다. 내가 의도치 않은 일로 오해를 받아 억울할 때도 있습니다. 또 두려움에서 나를 방어하기 위해 타인을 먼저 공격하기도 합니다.

나처럼 남도 그럴 거라는 기본값으로 나의 경험 속에서만 바라보고 감정을 이입합니다. 때로는 내 교만으로 남을 함부로 평가하기도 합니다.

내 마음에 혼란이 생길 때마다 먼저 떠올리는 생각이 있습니다. '나는 지금 솔직하게 무엇을 원하고 있는가. 내가 진정 무엇 때문

에 그랬을까? 내가 진짜 말하고 싶었던 것은 무엇이었을까'

나에게 먼저 솔직해지는 연습입니다. 그러면 상대방에게 어떻게 어떤 말을 해야 할지 정리가 됩니다. 솔직히 사과할 수 있고, 상대방의 감정을 공감하고 차분한 설명을 할 수도 있습니다.

또 나와 다른 남을 분리해 보는 겁니다. '남인데 당연히 분리하지'라고 생각하겠지만 실은 그렇지 못할 때가 많습니다. 상대방에게 서운한 것은 상대방이 내 맘 같지 않기 때문입니다. 내 맘이 남의 맘과 같을 수 없고, 서로 지향점이 다르고 습관이 다릅니다. 각자 자기 삶의 주체로 살아가기 때문입니다.

나는 나대로 남은 남대로 분리해서 생각하면 고민은 오히려 간단해집니다. 각자 누리는 삶. 때로 공감하는 삶. 서로 달라서 갈등이 생기고 충돌하더라도 그건 그럴 수밖에 없다고 인정하는 것. 이것이 서로 분리하면서도 존중하는 마음이 아닐지 생각합니다.

인간관계로 힘들 때 읊어보는, 유명한 게슈탈트 기도문을 소개합니다.

게슈탈트 기도문

나는 나의 할 일을 하고
당신은 당신의 일을 합니다.
내가 이 세상을 살아가는 것은
당신의 기대에 맞추기 위한 것이 아니고
당신이 이 세상을 살아가는 것도
나의 기대에 맞추기 위한 것이 아닙니다.
나는 나이며
당신은 당신일 뿐입니다.
어쩌다 우리가 서로를 알게 된다면
참 멋진 일이겠죠.
만약 그렇지 않다 해도
어쩔 수 없는 일일 것입니다.

- 프리츠펄스 -(독일 심리학자)-

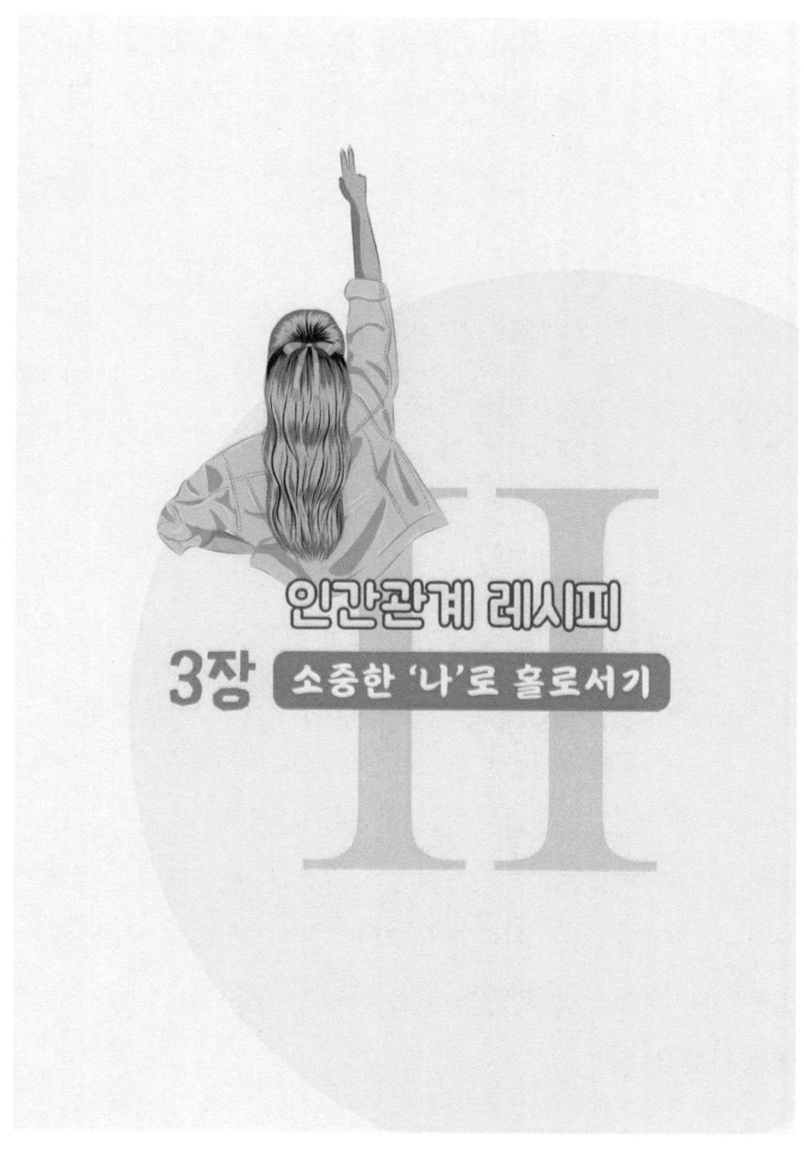
인간관계 레시피
3장 소중한 '나'로 홀로서기

1. 내가 나를 사랑해야 하는 이유

자기 계발, 동기부여 책에 가장 많이 등장하는 말은 '자존감', '나를 사랑하세요', '스스로 나를 안아주세요', '나를 위로 하세요' 입니다. 너무 많이 들어 이제는 좀 식상하게 느껴질 정도입니다.

이 내용을 빠뜨릴 수 없는 이유는 인간의 모든 행복이 자존감에서 시작되기 때문입니다. 행복감은 기본적인 욕구 충족, 좋은 인간관계, 가치 있는 활동 등을 통해 얻는 자기 효능감과 안정감에서 비롯됩니다.

우리는 사람들과 더불어 살아가는 존재이기에, 개인의 자존감이 사람들과의 상호작용 방식에 큰 영향을 미칩니다. 이는 남이 나를 보는 시선에 집중하기보다는 내가 나를 보는 시선에 먼저 집중해야 하는 이유이기도 합니다.

자기애가 깊고 스스로에 대한 만족감이 있는 사람은 타인에게 자신을 과시할 필요를 느끼지 않습니다. 다른 사람의 평가에 연연하지 않고, 자신보다 뛰어난 사람을 만나도 자신의 가치를 알고 있어서 자신을 무능하다고 자책하지 않습니다. 시기하거나 질투하지 않고, 오히려 남을 칭찬할 줄 압니다. 자신보다 부족한 사람을 만나도 비하하지 않고 상대의 가치를 인정할 줄 압니다. 혼자 있어도 불안하지 않으며, 혼자만의 시간을 잘 보냅니다.

이렇게 자신감이 넘치고 당당한 사람을 만나면, 함께하는 사람도 덩달아 기분이 좋고 힘이 납니다.

나의 자존감을 높이는 것은 나 자신밖에 할 수 없습니다. 아무리 좋은 강의를 듣고, 내 옆에 좋은 사람이 나를 응원해 주어도, 자존감을 높이는 결정적인 방법은 내가 나를 사랑하는 것입니다. 그렇지 않으면 열등감의 늪에 빠질 수밖에 없습니다.

오늘부터 마음먹는다고 자기애가 깊고 자존감이 높은 사람이 바로 되는 것이 아닙니다. 자신을 사랑한다고 하더라도 나보다 멋진 사람을 만나면, 자연스럽게 비교와 질투의 감정이 생길 수 있습니다. 누군가가 나를 무시하면 내가 잘못된 것은 아닌지 자책하게 되고, 혼자 있을 때는 다른 사람들이 나를 어떻게 생각할까 불안해지기도 합니다. 이는 누구나 느낄 수 있는 자연스러운 감정입니다. 그러나 이런 불편한 감정을 계속 붙잡고 자책하는 것에 빠져있는 것이 문제입니다.

잠시 스쳐 가는 불편한 감정은 보내버리고, 그 사람에게 부러움을 느꼈다는 사실을 인정하는 것, 나를 무시한 사람이 있었을 때 불편했던 감정을 누구의 문제로 볼 것인지를 생각하는 것, 혼자서도 즐길 수 있는 것이 무엇인지 찾아보는 것이 중요합니다. 어떻게 하면 상황과 감정을 회피하지 않고도 내가 행복하고 평안해질 수 있을지에 집중하면서 한 걸음씩 나아가 보는 겁니다. 이렇게 자신의 감정 상태를 직면하고 긍정적으로 전환하는 연습을 하면, 점점 더 나 자신을 좋아하게 될 것입니다.

어렸을 적, 소크라테스의 '너 자신을 알라'라는 말이 '네 주제를 파악해라', '네 분수를 알아라' 라는 의미로 유행하던 시기가 있었습니다. 그래서 나는 소크라테스의 이 말이 사람을 비하하는 부정적 의미로 쓰이는 것이 불편했습니다. 그러나 내면을 들여다보기 시작하면서 소크라테스의 이 말이 자주 떠올랐습니다. 소크라테스가 의도한 바가 무엇인지는 정확히 알 수 없지만, 나는 '너 자신을 알라'라는 말을 자기 내면을 깊이 탐구하라는 의미로 받아들이게 되었습니다.

자신의 강점과 약점, 욕구와 동기, 가치관과 신념 등을 인식하는 것은 지혜로운 인간관계의 첫걸음입니다. 내가 주로 느끼는 감정이 무엇인지, 무엇을 좋아하고, 타인을 어떻게 대하는지 등을 수시로 들여다보는 것이 삶의 방향과 기준을 결정하는 좋은 재료가 되기 때문입니다. 따라서 인간관계 갈등과 그로 인한 감정에 집중하기보다는 먼저 나 자신을 바라보고 사랑하는 것이 성숙하고 행복한 인간관계를 유지하는 시작입니다.

2. 나를 바라보기

사람이 외롭다고 느끼는 것은 단순히 혼자 있어서가 아니라 홀로서지 못하기 때문이라고 합니다. '홀로 선다'라는 것은 자신의 문제나 어려움을 독립적으로 해결하고, 자신의 감정과 생각을 스스로 관리할 수 있는 능력을 갖추는 것을 의미합니다. 사회적 지지에 의존하지 않고 정서적으로 독립적이며, 스스로 결정하는 힘과 이를 통한 자기 효능감을 느끼는 내적인 힘입니다. 이런 특성은 심리적 회복력과도 연결되어, 스트레스나 역경에 직면했을 때 더욱 효과적으로 대처할 수 있게 돕습니다.

인간관계에 심리적으로 의존하다 보면, 관계에 대한 집착과 소유욕이 생길 수 있습니다. 인간관계가 조금이라도 내 마음대로 되지 않으면 외로움을 느끼고, 내 삶이 불편한 감정에 좌지우지되기도 합니다. 건강한 인간관계의 상호작용은 안정감과 평안함을 주고 나를 성장시키는 좋은 환경조건이지만, 유동성 있는 인간관계 그 자체는 나의 삶의 일부분일 뿐인 것을 먼저 인식해야 합니다.

내가 홀로 설 수 있으면, 상황에 따라 변하는 인간관계 때문에 내 삶이 크게 영향을 받지 않습니다. 홀로 선다는 것은 나의 주체성이 있다는 뜻입니다. 주체성이 있다는 것은 내가 내 삶의 주인공이라는 의식입니다. 홀로 서서 내 삶을 남에게 의존하지 않고, 남에 의해 휘둘리지 않도록 나를 관리해야 합니다.

정호승 시인의 '홀로서기'라는 유명한 시가 있습니다. 나의 청소년기를 흔들었던 이 시는 아직도 문득문득 떠올라 나를 깨웁니다. (p90)

홀로서기 위해서는 먼저 남을 관찰하듯 '나는 어떤 사람인가'를 유심히 구체적으로 살펴봐야 합니다. 오랫동안 일기를 써보는 것도 도움이 된다고 하지만 그건 바로 결과를 볼 수 있는 것은 아니어서, 나를 관찰할 수 있는 질문들을 몇 가지 나열해 보았습니다. (p92)

— 홀로서기 — (시인 정호승)

나는 홀로 설 줄 알아야 한다
허공에 대고 홀로 외칠 줄 알아야 한다
아무도 나를 도와주지 않는다 해도
나는 홀로 설 줄 알아야 한다

허공에 대고 홀로 외치는 법을 배워야 한다
홀로 설 수 없는 나무는
절대로 푸른 하늘을 향해 높이 자라지 못한다

푸른 하늘을 향해 높이 자라고 싶다면
홀로 설 수 있는 힘을 길러야 한다
홀로 서는 연습을 해야 한다
아무도 나를 도와주지 않는다 해도
나는 홀로 설 수 있어야 한다

50이 될 때까지도, '내 적성이 뭔지 모르겠어요'. '내가 뭘 잘하고 좋아하는지 모르겠어요.'라고 말하는 분들이 많습니다. 나만 그런 줄 알았는데, 많은 분이 인스타그램을 시작하면서 '뭘 주제로 해야 하지?'라는 고민을 시작으로 자신의 장점과 특징을 찾아가는 것을 보며 알게 되었습니다.

그동안 세월의 흐름 따라, 주어진 역할의 책임만으로 살아왔기 때문에 알 수 없었던 것 같습니다. 그래서 '내가 홀로일 때 나는 무엇이지?'를 생각해 보는 것이 중요합니다.

나를 알아간다는 것은 시간이 필요합니다. 이거다! 라고 바로 답을 찾기는 어렵습니다. 내가 무엇을 좋아하고 잘하는지 알고 싶다면, 지금 당장 내가 하고 싶었던 작은 것부터 새롭고 소소하게 시작해 보는 겁니다. 그러나 이걸로 끝을 봐야겠다고 결과를 미리 결정하고 시작하려 하면, 고민만 하다 시작도 못 하고, 시작하더라도 내 맘 같지 않으면 실망만 하게 됩니다.

나는 어떤 사람인지를 알고 시작하는 50대와 모르고 시작하는 50대는 삶의 재미부터 달라질 수 있습니다.

<'나' 관찰 질문>

내가 좋아하는 것/ 싫어하는 것
| 어떤 사람 | 어떤 상황 | 어떤 물건 | 책 종류 | 음식 종류

나의 유형은?
| 외향-내향 (어떨 때 외향적인지, 어떨 때 내향적인지)
| 개방성 유무(호기심 유무, 공감 능력, 충고에 대한 수용)
| 낙관적-비관적
| 예민한-둔감한 (접근 동기-회피 동기)

나의 표현 방식 (가족, 친구, 동료에게)
| 말 | 행동 | 표정

무엇에 감동하는지
| 소소한 것 | 이벤트

나를 중심으로 한 인간관계는 어떠한지
| 가족 관계 | 친구 관계 | 동료 관계

누구와 무엇을 할 때 행복한지
사람과 친해질 때 어떻게 하는지
내가 타인에게 나쁜 사람이었던 경험
변화에 대응하는 방식(사회변화, 관계변화 등)
내가 원하는 나의 노년의 모습 상상하기

<나를 기쁘게 하는 것들>(예시)

나는 언제/어디서/무엇을 할 때 기쁘고, 위로되는가?

만남	어떤 사람과 어떤 만남? ex) 나는 언제나 나의 편이 되어주는 나의 언니와의 만남이 좋다.
물건	내가 좋아하는 물건 종류(그림, 옷, 식물, 음식.........) ex) 나는 잘 차려진 한식 밥상이 좋다.
상황	무엇을 할 때, 어떤 상황일 때가 행복한가? (ex 혼자 카페에 있을 때, 가족과 함께할 때 등)
여행	자연이 좋은 곳? 놀거리가 많은 곳? 해외? 국내? 가족여행? 혼자 여행? ex) 나는 가족과 함께 자연 속에서 산책하는 것이 좋다.
힐링 방법	ex) 나는 위로가 필요할 때마다 식물을 산다. 취미? 책 읽기? 걷기? 놀기? 사람 만나기? 드라마 보기?

<나를 재건축 하기>(예시)

내가 현재 만들고 싶은 나의 이미지
글/ 그림(이미지) -성품. 태도. 말. 표현. 외모. 스타일 -비슷한 유명인 또는 닮고 싶은 사람
내가 10년 후에 되고 싶은 나의 이미지

<나의 월간 이벤트>(예시)

1월	연간 계획하기
2월	책 쓰기 강의 듣기/ 자료수집하기 책: 외로움의 모양 읽기
3월	책 쓰기 ㅣ 책 : 인간관계론 읽기
4월	엄마와 여행하기
5월	가족과 여행하기
6월	
7월	
8월	
9월	
10월	
11월	만남의 달(감사한 분들 주말마다 만나기
12월	

<올해의 책 읽기 목록>

읽음	제목/분야	요약

<나의 미디어 일지>(예시)

종류	내용
강의 & 교육	김미경 MKYU
SNS	인스타/ 블로그
뉴스	오전, 오후 뉴스
드라마/다큐	넷플릭스-눈물의여왕/로맨스, 범죄물
영화	서울의 봄

3. 나를 관리하기

나에 대한 투자를 아끼지 말라고 말하고 싶습니다.

인간관계에서 고민도 많고, 외로울 때마다 오히려 나는 더 성숙한 사람이 되고자 하는 동기를 얻었습니다. 본능적으로, 내가 어찌할 수 없는 남에 대한 신경을 끄고 나의 부족한 부분을 채워 남보다 더 멋진 사람이 되고자 하는 복수심?(웃음) 솔직히 그런 것이었는지도 모르겠습니다. 열등감과 외로움이 내 성장의 힘이었습니다.

사람은 평생 성장합니다. 몸의 성장은 20대 전후로 멈추지만, 지적·정신적 성장은 평생 관리해야 합니다. 나의 아이들이 사춘기를 겪기 전까지 나의 정신연령은 30세쯤에 멈춰 있었습니다. 아이들과 부딪치면서 똑같이 사춘기를 겪고 있는 엄마인 나를 바라보면서, 얼마나 부끄러웠는지 모릅니다. 나이는 어른인데, 미성숙한 40대가 사춘기 아들을 감당하는 것이 너무 버거웠습니다. 내가 빨리 진짜 어른이 되지 않으면 사춘기 아들의 성장도 도울 수 없겠다는 생각에 인간의 심리와 인간관계, 마음 성장에 대해

관심을 가지게 되었습니다.

인지심리학자 김경일 교수님에 따르면 사람의 기질인 IQ와 성격은 변하지 않는다고 합니다. 성격은 내향적/외향적이다, 개방적/보수적이다. 둔감함/예민함. 이런 것으로 표현됩니다.

하지만 사람은 변한다고도 합니다. 이는 성격이 변하는 것이 아니라 우리의 성품이 변하는 것입니다. 성품은 매너, 예의범절, 화법 등 사회적인 소통 능력을 말합니다. 또한 리더십, 창조성, 통찰력, 지혜에 영향을 주는 관점과 태도도 변한다고 합니다.

그래서 '그 사람은 이런 사람이다'라는 이미지는 내가 어떻게 살아가느냐에 따라 달라지는 것입니다.

정해진 성격이 아니라 후천적으로 변화하는 성품, 관점, 태도의 성숙이 인간관계의 질을 결정한다고 생각하면, 나이가 들면서 변화하는 심리·사회적 환경과 시대의 변화에 맞춰 배워가는 자세가 필요합니다.

나의 성장을 관리하기 위해서는 첫째로 문화(취미) 활동을 하는 것입니다. 자존감이 적절하게 높은 사람들의 특징은 문화 활동을 한다는 것입니다. 일과 상관없이 나에게 스스로 감탄할 수 있는 취미활동을 해보는 것은 나의 자존감을 높이는 데 중요한 역할을 합니다.

내가 좋아하는 것, 하고 싶었던 것, 배우고 싶었던 것을 정해서 도전해 보는 겁니다. 나는 무작정 해보고 싶었던 꽃꽂이를 배우다가 식물 키우는 것에 관심이 생겨서 식물보호산업기사 자격증까지 취득하게 되었습니다. 식물에 물을 주는 시기와 방법부터 분갈이, 영양 관리, 해충관리 등 처음에는 낯설고 조심스럽기만 했었는데, 이제는 나의 손길로 무럭무럭 자라는 식물들을 볼 때마다 미소가 절로 납니다. 잠시라도 일상의 스트레스에서 벗어나 나를 스스로 위로하는 세상에 들어가는 기분입니다.

작은 관심으로 시작했지만, 늦은 나이에 자격증까지 취득한 성취감은 지속해서 새로운 도전을 할 수 있는 용기를 주었습니다. 나의 일과 상관없는 다른 관심거리를 찾아서 초보자로 새롭게 배워보는 것은 전문가가 되지 않아도 작은 성취감들을 자주 느낄 수 있게 합니다.

이사하면서 처음으로 키워보겠다고 사들인 몬스테라에서 어느 날 찢어진 새순이 뾰족이 나왔을 때, 얼마나 신기하고 감탄했는지 마치 내가 산파가 된 것처럼 기뻤습니다.

첫 전자책을 낼 때는 아들을 키우는 엄마가 아들과 사춘기를 함께 겪은 이야기를 쓰면서 엄마로서의 고뇌와 삶을 정리해 보는 나만이 느낄 수 있는 의미 있는 시간을 가질 수 있었습니다. '언젠가는 꼭 해봐야지'라고 과거의 어느 순간 다짐했던 것을 실천했다는 성취감은 내가 한 발짝 앞으로 더 나아가는 동력이 되었습니다.

나는 어느 분야의 전문가도 아니고, 그냥 직장생활을 하면서 가족과 행복한 삶을 살고 싶은 보통 엄마입니다. 그러나 60세 이후에 나는 무엇을 하며 어떤 모습으로 살아갈까. 나의 삶의 끝은 어떤 모습일까를 생각해 보면 불안한 마음이 생깁니다. 100세 시대를 준비하며 내가 어떤 사람이 될지, 나는 지금 무엇을 할 것인가를 고민하게 되었습니다. 하지만 당장 정답을 찾으려니 맘만 급해지고 답답함만 커지는 고민의 연속이었습니다.

자기 일을 성공적으로 해낸 분에게 '어떻게 이렇게까지 하셨어요?'라고, 물으면 '그냥 꾸준히 하다 보니 되더라'라는 말을 듣곤 합니다. 그래서 나도 급하게 생각하지 않고 무작정 하고 싶었던 것부터 즐기기로 했습니다. 즐기는 것에도 약간의 긴장감을 가지고, 마치 일처럼 즐겼습니다. '이것이 혹시 나의 평생 일이 될 수 있을까?'를 점검하면서. 알고 보니 내가 원하던 것이 아니었더라도 도전하는 힘은 계속 커진다는 것이 중요합니다.

50년을 돌아보면 과거에 내가 노력했었던 것들이 하나도 버릴 것이 없이, 곶감 빼먹듯 하나씩 제 역할을 해 왔던 것을 깨닫게 됩니다. 적성에 맞는 일을 찾는 것보다는 배우고 깨닫고 한계를 넘어 성취하는 과정 자체가 어떤 일에도 자신감 있게 대할 수 있게 합니다. 이러한 경험들이 나를 단단하게, 무엇이든 해내는 힘으로 만들어 줍니다.

두 번째로 건강관리의 중요성을 강조하고 싶습니다.

피로가 누적되거나, 몸이 건강하지 않으면 자제력을 잃고 예민해지며 감정에 따라 행동하게 됩니다. 내가 자꾸 화를 내고, 민감하게 반응한다면, 나의 건강 상태를 점검해 봐야 합니다. 연세가

많으신 어르신들을 뵐 때마다 진심으로 당부하시는 말씀이 있습니다. '그 무엇보다 건강이 제일이다!'

건강할 때는 건강은 신경 안 써도 그냥 건강인 줄 알았습니다. 내가 예민하게 가족들에게 갑작스럽게 화를 많이 냈던 때를 되돌아보면 모두 건강의 문제였습니다. 잠이 부족했거나, 스트레스를 많이 받은 날들이었습니다. 건강에 문제가 생기면 자제력을 유지할 힘이 부족해지기 때문에 작은 일에도 예민하게 반응하는 것입니다.

이처럼 마음 건강이 몸의 건강과 연관되어 있듯이 몸의 건강이 마음의 건강과도 밀접하게 연결되어 있습니다. 몸이 건강해야 도전에 대한 자신감도 생기고, 관계의 스트레스를 이겨내는 힘도 생깁니다. 따라서 나의 몸 상태를 잘 살피고, 무리하지 않으며, 쉴 때는 제대로 쉬어 주는 것이 중요합니다.

나에게 맞는 운동을 하나 정해서 꾸준히 하는 것이 좋습니다. 되도록 평생 할 수 있는 운동이면 더욱 좋겠지요. 나는 과격한 운동은 못해서 국선도를 선택했습니다. 스트레칭과 호흡운동을 병행하는 국선도는 내장근육을 단단하게 만들 뿐만 아니라, 모든 생각을 내려놓고 호흡에 집중하기 때문에 마음 근육을 단련하는 데도 도움이 됩니다. '내 운동'을 정해서 꾸준히 건강관리를 하고 있다는 성취감도 큽니다. 무엇보다 나에게 가장 필요했지만 게을러서 하지 않았던 운동을 하는 나 자신에게 큰 감탄을 하고 있습니다.

세 번째는 말의 성품을 배우는 겁니다.

내뱉는 말은 상대방의 가슴속에 수십 년 동안 화살처럼 꽂혀있다. (롱페로우)

말이 입힌 상처는 칼이 입힌 상처보다 깊다. (모로코격언)

자녀 교육을 할 때 부모가 자녀에게 어떻게 말해야 하는지에 대한 교육을 많이 합니다. 사람을 살리는 말, 죽이는 말을 구별해서 사용하라고 권합니다. 이처럼 말은 사람의 생사로 표현될 정도로 강력합니다.

긍정인 말은 뇌의 감정 처리 부위와 보상 시스템을 통해 긍정적인 감정과 행동을 촉진합니다, 반복적으로 긍정적인 언어를 사용하면 뇌가 이러한 긍정적인 반응을 더 잘하도록 훈련할 수 있습니다. 따라서 지속적인 칭찬, 감사의 표현, 격려와 지지의 말 등은 상대방의 자존감을 높이고 자신감을 부여합니다.

반대로 모욕, 비난, 비하하는 말, 무시하는 말 등 부정적이고 비판적인 말은 상대방의 자존감을 해치고 스트레스를 유발합니다. 이는 사람의 심리적 안정을 해치고, 불안과 우울의 감정을 증가시킬 수 있습니다. 이러한 말은 남에게뿐만 아니라 내가 나에게 하는 말도 마찬가지입니다.

그래서 감사의 표현과 사과의 표현 그리고 감탄의 표현을 적절한 때에 맞춰 잘하는 것이 중요합니다. '덕분입니다', '고맙습니다', '미안합니다'와 같은 표현뿐만 아니라 '멋지다!', '신난다!', '어머 그랬구나!', '와 잘 됐다!'와 같은 감탄의 표현도 해야 합니다.

반대로 부정적인 말버릇, 명령하는 투, 시니컬한 말투. 비꼬는 말, 함부로 충고하는 말 등은 상대에게 무례할 뿐만 아니라 유치한 마음의 표현인 것을 알고 조심해야 합니다.

말은 정보를 전달하고, 감정을 공유하고, 타인과의 관계를 구축하고 유지하는 필요적인 수단이지만 표현과 내용에 있어서 늘 삼가고 사용을 주의해야 하는 위험한 도구입니다. 소통에 있어서 말은 음성만이 아니라 표정과 태도, 목소리의 톤 등의 말하는 방식과 비언어적 요소를 모두 포함합니다. 말을 안 하는 것도 말의 표현이라고 하는 것처럼 우리는 의식적 무의식적으로 어떻게든 말하고 있습니다.

따라서 말의 습관을 잘 갖추어야 합니다. 말에는 그 사람의 됨됨이가 담겨있습니다. 표현하는 말로 그 사람의 마음도 알 수 있고 참모습도 드러납니다. 사람마다 말의 스타일이 있어서 주로 사용하는 단어와 표현 방식으로 자신만의 흔적을 남깁니다. 이것은 타인이 그 사람을 평가하는 척도가 되기도 합니다.

우리는 하루에도 수많은 말을 하고 듣고 살아갑니다. 말의 성품에 따라 그 수준과 깊이는 사람마다 다릅니다. 말은 많이 하지만 수다스럽고 불쾌감만 주는 사람이 있는가 하면, 말은 적어도 말속에 따뜻한 배려가 있고, 즐거운 유머와 유쾌함이 있고 진심이 느껴지는 사람이 있습니다. 그 사람의 말의 성품에 따라 인간관계가 구축됩니다. 따라서 관계에 있어서 말의 선택, 말투, 말의 내용이 어떤 방식으로 전달되는지는 관계의 질과 직접적인 연관이 있고, 좋은 대화 기술은 인간관계를 개선하고 갈등을 줄이는 데 큰 도움이 됩니다.

또 말과 행동, 표현은 전염됩니다. 누군가에게서 좋은 영향을 받으면, 내 무의식이 기억하고 있다가 다른 사람에게도 그대로 하게 됩니다. 반대로 나쁜 영향도 마찬가지입니다.

나이 들수록 말을 더욱 조심하라고 합니다. 말의 성품을 길러서 성숙한 영향이 서로에게 전염되었으면 좋겠습니다.

대화의 기술에서 꼭 점검해 보아야 하는 것이 있습니다.

횡설수설 얼버무리지 않고 정확히 말하는 연습, 두괄식으로 말하는 연습입니다. 나는 상대방에게 상황을 정확히 전달하고 싶어서 하나도 빠짐없이 스토리로 말하던 적이 있습니다. 그럴 때마다 상대방은 참다못해 '그래서 결론이 뭐야?', '뭘 말하고 싶은 거니?', '너의 말은 이렇다는 거지?' 하면서 대화를 정리하고 싶어 했습니다.

말은 간결하게 결론부터 전달하고, 필요한 내용을 덧붙이는 것이 좋습니다. 사실 이렇게 말하려고 해도 편한 사람과의 대화에서는 간결하게 말하는 것이 쉽지 않지만, 말을 길게 하면 상대방의 집중력도 떨어지고 질리게 만들 수 있으니, 주의가 필요합니다.

네 번째는 매일 뉴스를 듣고 책을 읽는 것입니다.

적절한 사회적 관심은 가벼운 대화거리를 풍성하게 합니다. 그 날 날씨만 알아도 엘리베이터에서 잠시의 환담을 나눌 수가 있지요. 그리고 요즘처럼 기술이 빠르게 변화는 세상에서 새로운 변화를 예측하는 데 도움이 많이 됩니다. 새로운 변화를 알고 있으면 다른 사람에게도 유익한 정보를 제공할 수도 있고 변화에 적응하는 데 도움도 됩니다.

책을 읽는 것은 내면을 채우는 것부터 세상을 바라보는 관점과 태도에 도움이 많이 됩니다. 책을 통해 내가 직접 경험하지 못한 경험을 갖게 되고, 내가 미처 생각하지 못했던 것을 깨닫게 됩니다. 타인을 더 이해할 수 있도록 사고가 확장되고 성찰을 통해 자신을 성숙하게 하는 강력한 도구입니다.

나에게 일 년에 책을 몇 권 읽었냐고 물어본다면 나도 창피해서 차마 말은 못 하지만, 한두 권 읽다 보니 이거라도 안 읽었으면 큰일이었겠다 싶은 생각을 했습니다. 그래서 이제부터라도 강제로 시간을 내어 일처럼 읽어 보려고 합니다. 지금까지의 나보다 앞으로 성장할 나에게 집중하면 됩니다.

행복한 사람이 이타적인 행동을 많이 하게 된다고 합니다.

나에 대한 만족감으로 내 마음이 가득 차고 넉넉해지면, 내 마음을 남에게도 여유 있게 베풀게 됩니다. 남도 잘되기를 소원하게 되고, 남이 잘되었을 때 진심으로 기쁨을 표현하게 됩니다,

배움의 중요성을 알기 때문에 무엇이든 나보다 나은 사람에게 배우려고 합니다. 또 나의 도움이 필요하다고 하면 기꺼이 배움을 나누게 됩니다.

사람은 나와 함께하는 사람이 나와 비슷하다고 여기기 때문에 나에게 도움이 되는 사람. 좋은 사람과 함께하고 싶어 합니다. 나의 성장에 집중하고 나의 자존감이 높아지면, 남도 여유 있고 넉넉한 마음으로 대할 수 있고, 또 그런 사람들과 함께할 수 있게 됩니다.

4. 나를 치료하기

남의 시선에 나를 맞추고, 소통의 갈등을 고민하다 보면 에너지가 소진됩니다. 어쩔 수 없는 부분에 화가 나고, 왜 그렇게 행동했을까 자책하게 됩니다. 남이 나를 어떻게 볼지 걱정하는 것만으로도 큰 스트레스를 받습니다.

직장에서는 솔직함을 드러내기 어려워서, 그로 인해 기분이 나빠지는 경우가 많습니다. 이유 없이 불편하게 하는 그 사람 때문에 하루 종일 기분이 상하고, 내일도 같은 상황과 기분이 반복될지 생각하면 머리가 아픕니다. 집에 오면 집안일이 산더미인데, 아이들은 내 맘 같지 않습니다. 남편도 회사 일에 집중하다 들어오면 나의 하소연을 들어줄 마음의 여유가 없습니다. 또 사사건건 복잡한 여자의 마음을 이해하기란 웬만한 집중력과 에너지로는 쉽지 않습니다.

회사와 가정에서 신경 쓰고 처리해야 할 일들이 끊임없이 쌓여 있습니다. 도와달라고 요청해도 내 스케줄에 맞춰, 내 맘처럼 제대로 도와줄 사람도 없습니다. 신체적, 정신적으로 갈수록 쇠약해지니, 매일 짜증만 내고 작은 일에도 쉽게 화가 치밀어 오릅니다.

잔뜩 화를 내버린 주말 아침. 집에서 집안일만 하다 보면 더 화를 낼 것 같아서, 무작정 집을 나와 걸었습니다. 내가 무엇을 좋아했지? 나는 지금 무엇을 하면 행복할까? 생각하며 걷다가 서울행 기차를 탔습니다. 어린 시절의 온갖 추억이 담긴 남산길을 걸으며, 남산도서관에 들러 매일 커피와 에이스 먹고 엎드려 잠만 자던 중·고등학생 시절의 모습을 떠올리며 미소 지었습니다. 남산길을 내려와 광화문 교보문고까지 걷는 길은 참 행복했습니다. 교보문고에서 얇은 책 한 권 단숨에 읽고, 늦은 밤 기차를 타고 집으로 돌아오는 길에 마음이 한결 가벼워졌습니다.

이후로 나는 주말마다 집안일은 접어두고, 집 근처 교보문고에 가서 내가 읽고 싶은 책을 읽거나, 미뤄둔 나만의 추억을 정리하기 시작했습니다. 단상이 떠오를 때마다 가끔 글을 쓰며 온전히 나를 위한 시간을 갖기 시작한 것입니다.

또한 식물 키우는 취미를 가지게 되어 마음이 불편한 날에는 3

천 원짜리 작은 식물을 하나씩 사와 소중히 분갈이하면서 잡생각을 떨쳤습니다. 시간이 지나 이제는 위로의 식물이 아닌 기쁨의 식물이 되었습니다.

라면 하나를 끓여도 예쁜 그릇에 담아 챙겨 먹고, 내가 사고 싶은 옷도 망설임 없이 사며, 맛있는 식사로 나를 대접해 보았습니다. 내가 꼭 해야 제대로 될 것 같았던 집안일은, 주말에는 집안 남자들에게 맡기고, 피곤한 날에는 '이럴 때도 있는 거지. 좀 지저분해도 괜찮아'하며 내버려 두기도 하며, 나의 건강을 최우선으로 챙기기 시작했습니다.

직장생활에서는 내가 어쩔 수 없는 타인의 마음을 그대로 내버려 두기로 결심했습니다. 나하고 안 맞는 사람인가보다, 그 사람에게 마음에 안 드는 부분이 있나 보다 여기고, 그는 그고 나는 나일 뿐이니, 억지로 그 사람에게 맞출 필요는 없었습니다. '내 문제가 아니야'라고 생각하며 불편했던 그 사람에게 향했던 시선을 거두어 냈습니다.

어깨를 펴고 당당하게 걷고, 다른 동료들과 가벼운 인사를 나누며, 동료의 관심사를 기억해 나와 취미가 맞는 사람과 즐거운 대화를 나누면서 나는 더 활기차졌습니다.

책상도 깔끔하게 정리하고 내 일과 내 삶에 집중하기로 마음먹고, 불편한 사람들을 내 맘에서 관계 정리를 끝내고 나니 내가 보는 나의 이미지도 새롭게 단장되고, 좋은 사람들과 새로운 인연을 맺게 되었습니다.

나는 스스로 돌봐야 합니다. 누군가에게 하소연한다고 해서 그가 내 문제를 대신 해결해 줄 수는 없습니다. 내가 결정한 일에 동조하고 지지해 줄 수는 있지만, 결국 내가 해야 하는 것입니다. 나를 이해하고 나를 먼저 배려해야 남도 나를 배려할 수 있습니다.

나만의 시간을 갖고 고독을 즐겨보세요. 감정노동으로 지친 마음에 쉬는 시간을 갖게 해 주세요. 고통스러웠던 마음을 치료하기 위해서 혼자 떠나보세요. 가장 마음 벅차고 행복했던 추억의 장소를 찾아가 그때의 나를 추억해 보는 것도 좋습니다.

그리고 내가 혼자 있을 때 마음이 편안해지는 나만의 공간을 정해보세요. 부모님이 건강하실 때는 마음이 힘들면 친정에 가서 쉴 수 있었지만, 이제는 그럴 수 없으니 언제나 나일 수 있는 공간을 하나 만들어 두면 안정감을 느낄 수 있습니다.

또한, 나를 기쁘게 하는 것들의 목록을 만들어서 내가 하고 싶을 때 하나씩 실천해 보는 겁니다. 한 달 동안 주말마다 일정을 잡아서 그동안 뵙고 싶었던 분들을 만나기도 했습니다. 나를 항상 소중히 여기고 응원해 주신 분들에게 감사도 표현하고 즐거운 시간도 가지면서, 상처받은 마음을 치유하는 데 큰 도움이 되었습니다.

우리나라 사람들은 '인정투쟁'이 강하다고 합니다. 이는 '인정받고 싶은 마음'을 뜻합니다. 공동체 문화가 강한 우리나라에서는 사회적으로 고립되는 것을 가장 불안해하기 때문에, 남의 인정을 통해 자신의 정체성을 확인하려는 경향이 있습니다.

그러나 정작 우리가 인정하는 사람은 자신을 스스로 괜찮은 사람이라고 인정하는 사람입니다. 내가 나에게 '참 잘했어!', '너는 정말 멋져!', '너 오늘 참 멋지게 살았구나'라고 감탄할 수 있어야 다른 사람도 나를 인정해 준다는 것입니다.

행복은 큰 이벤트로 한번 얻어지는 것보다 소소한 행복감의 빈도수가 많을수록 행복하다고 느낍니다. 내가 성취감을 느낄 수 있는 작은 일들을 해보거나, 감사할 수 있는 것들을 찾아보면서 나 자신에게 감탄사를 날려보세요. 나를 향한 감탄사는 날로 늘어날 것입니다.

5. 버려야 할 관점과 감정 쓰레기

심리학에 '흰곰 효과' 라는 말이 있습니다. 이는 어떤 생각을 하지 말라고 할 때, 오히려 그 생각을 더 많이 하게 되는 현상을 말합니다. 예를 들어 "흰 곰을 생각하지 마세요"라고 하면, 사람들은 오히려 흰 곰에 대해 더 많이 생각하게 됩니다. 이처럼 우리의 뇌는 미워하고 두려울수록 그것을 더 기억한다고 합니다. 그와 함께한 대화나 시간이 나를 옥죄고, 기억하지 않으려 할수록 자꾸 더 기억하게 되는 것입니다.

살면서 인간관계에서 가장 고통스러웠던 감정이 무엇이었냐고 묻는다면, 해결하지 못한 억울함과 미움이었습니다. '그때 이렇게 해야 했는데!'라는 생각이 떠오를 때마다 부당함에 바로 대응하지 못한 안타까움이 미움을 넘어서 상대가 잘못되길 바라는 복수심으로 치닫곤 했습니다. 억울한 경험이 가끔 떠오를 때면, 분노에 휩싸여 아무것도 할 수 없을 정도로 심장이 두근거리고 화가 나서 견딜 수 없었던 때도 있었습니다.

일과 관련된 교수님이었는데, 그분이 원하는 일을 끝까지 거부했다는 이유로 사람들 앞에서 심한 모멸감을 주었던 기억이 있습니다. 어린 마음에 예의를 지키겠다고 대항 한번 안 해보고 말없이 펑펑 울기만 하면서 감내해야 했던 그 순간이 깊은 억울함으로 남았었습니다. 그 억울함이 문득문득 생각날 때마다 미움으로 가득 차서 힘들었습니다. 시간이 지나면서 나의 성장과 함께 그 감정이 사라지긴 했지만, 오랜 시간 마음속에 남아있던 고통은 쉽게 잊히지 않았습니다.

억울함은 오래갑니다. 이 때문에 다른 억울한 상황에 지나치게 예민해졌었습니다. 만약 지금 그런 상황을 겪는다면, 그 자리에서 당당하게 대처했거나, 그때 대응을 못 했더라도 바로 찾아가서 사과를 요구했을 것입니다. 참는 게 미덕이 아니라는 것만 알았어도 10여 년 동안 그 억울함과 미움의 감정을 안고 살지 않았을 것입니다. 아마 지금 그분을 만날 기회가 있다면, 나는 꼭 찾아가서 담담하게 얘기할 것입니다. "당신의 무례함 때문에 그때 그렇게 힘들었습니다."라고.

사회적 소통 능력을 키우는 것은 건강한 인간관계와 나의 마음 건강에 매우 중요합니다. 그리고 부정적인 감정에 갇히지 말고 늦더라고 용기 있게 표현하여 내 마음이 미움으로 가득 차지 않도록 방어해야 합니다. 만약 상대방과의 차이를 이해하게 되면, '저 사람은 저럴 수도 있지. 그냥 그러고 살도록 내버려 두자. 내 인생에 중요한 사람도 아닌데, 신경 쓰는 것조차 시간이 아깝다.' 라고 생각하고, 나를 부정적으로 이끄는 감정을 그 사람과 함께 버려야 합니다.

과거의 아쉬움이나 후회로 인해 스스로 무능력하게 만드는 부정적인 감정에 오랫동안 갇혀 있으면, 나의 긍정 에너지가 설 자리를 잃게 됩니다.

현재 어쩔 수 없는 상황은 그것을 인정하고 자신을 원망하지 마시기를 바랍니다. 남들이 나보다 대응을 잘해서 이런 일을 겪지 않을 것이라는 생각은 착각입니다. '왜 나한테 이런 일이 생겼을까?. 남들은 문제없이 다 잘 사는 것 같은데….'라며 나만 겪는 문제라고 생각하는 것은 착오입니다. 우리는 모두 다른 상황에서 비슷한 경험을 겪으며 성장해 갑니다.

오늘 겪은 경험이 다음에 더 지혜로워질 기회가 될 수 있습니다. 지금은 괴로워도 결국 시간은 지나가고, 그 속에서 배우고 성장하는 것이 중요합니다. 새로운 시간을 기대하며 맞이하면 됩니다.

수년간 쌓인 묵은 감정이 있다면, 지금이라도 감정을 해결할 방법을 찾아야 합니다. 해결하고 싶은 마음이 크다면 용기를 내어 상대에게 말로 표현해 보는 것이 좋습니다. 그 자체로도 풀리는 경우가 있습니다. 하지만 굳이 들춰서 해결할 필요가 없다고 느낀다면, 그 감정을 버려야 합니다. 정답은 없습니다. 받아들이는 상대방의 성품과 상황에 따라 반응이 다르기 때문입니다.

이런 일이 나에게 또 하나의 경험이구나, 다음에는 이렇게 해야겠다고 생각하며 배우고 성장해 가는 것입니다. 미운 감정은 버리고, 나의 소통 방법과 사회적 기술을 점검해 보세요. 소통의 방법을 잘 모르거나 어쩌면 나의 이기심 때문에 발생한 것은 아니었는지, 갈등이 발생한 원인을 솔직하게 들여다보고, 나의 문제라면 사과하고, 상대방의 문제라면 적절히 표현하는 것이 필요합니다. 정중한 표현을 받아들이지 못하는 사람이라면, 그 사람의 마음 상태가 그렇다고 이해하고 넘기면 됩니다.

갈등의 상대와 멀어지는 것이 두렵거나, 고립되는 것이 불안해서 무례함을 참거나 불쾌한 감정을 쌓아놓고 관계에 집착하지 말아야 합니다.

어떤 선택이든 나를 사랑하는 방법으로 선택하는 것이 중요합니다. 부정을 벌이고 긍정을 선택하는 것은 나의 더 나은 내일을 위해 필요합니다. 어제보다 나아진 내가 되는 선택이 무엇인지 나를 중심으로 판단하면 됩니다.

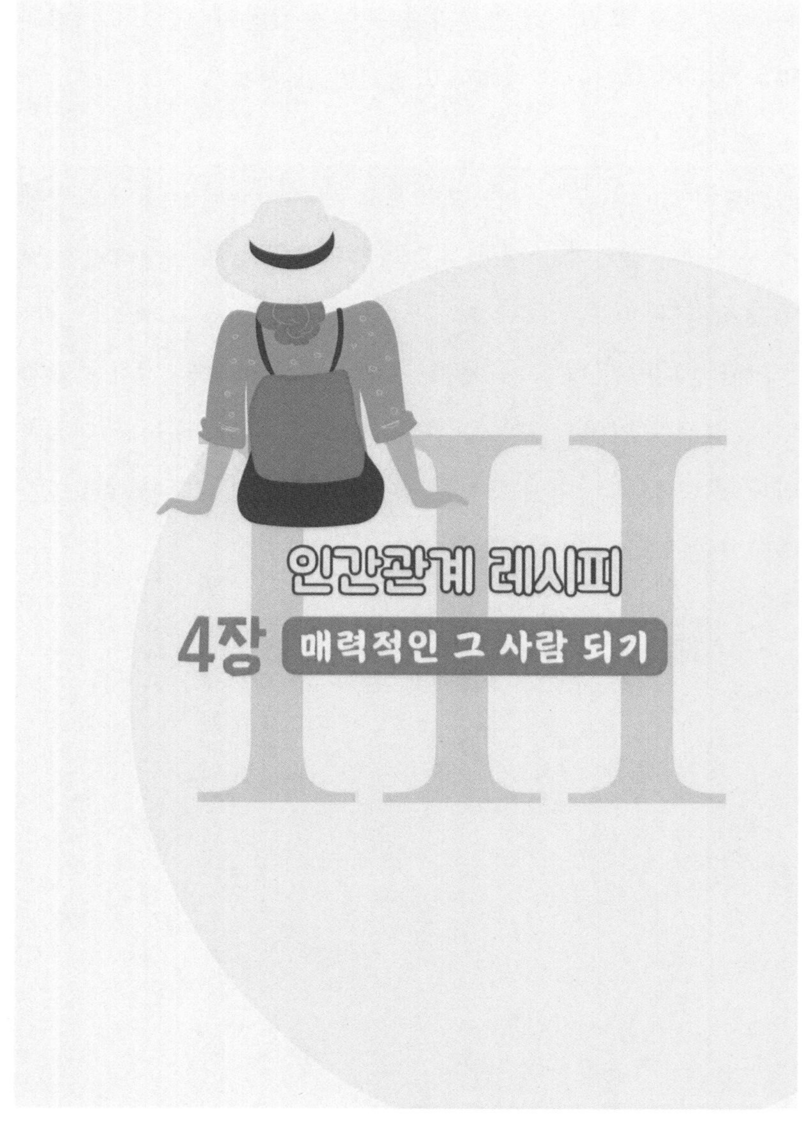
III
인간관계 레시피
4장
매력적인 그 사람 되기

인간관계 레시피 Ⅲ. | 매력적인 그 사람 되기

중요한 것은 내가 매력적인 사람이 되는 것입니다. 매력 있는 사람은 사람을 끌어당깁니다.

매력적인 사람은 외모뿐만 아니라, 그 사람의 성격, 태도, 그리고 대인 관계에 미치는 영향력까지 포함합니다. 주변 사람들에게 긍정적인 에너지를 전달함으로써 관계에서 좋은 영향력을 발휘합니다. 자기 생각과 감정을 명확하고 정중하게 표현할 줄 알며, 타인의 말에 귀 기울이고 적극적으로 경청합니다. 타인의 감정과 상황에 공감할 수 있는 능력은 신뢰와 친밀감을 쌓는 데 핵심적인 역할을 합니다. 자신의 강점과 약점을 적절히 드러냄으로써 진정성 있는 모습을 보여줍니다. 또한 변화하는 환경에 유연하게 적응하는 능력도 매력적인 사람들의 특성입니다.

매력 있는 사람에게는 질투심과 경쟁심에 가득 찬 사람 외에는 함부로 대하지 않습니다. 매력 있는 사람과는 함께 즐겁게 지내고 싶어 합니다. 그런 사람과 함께 있으면 나도 같은 사람처럼 느껴지기 때문입니다. 사람을 끄는 사람과 등을 돌리게 하는 사람의 차이는 아주 작은 차이에서 시작됩니다.

1. 말과 마음의 소통방식이 다르다.

말은 곧 마음의 소통방식입니다.

말은 개인의 내면적 감정과 생각을 외부로 표현하는 창입니다. 우리가 느끼는 기쁨, 슬픔, 분노, 사랑과 같은 감정들은 말을 통해 타인에게 전달되면서 감정의 공유가 이루어지고 공감과 이해를 생성합니다. 상대방이 자신의 감정을 이해하고 공감해 줄 때, 우리는 더 깊은 인간적 연결을 경험합니다.

또한 자기 생각과 느낌을 말로 표현함으로써, 자신을 더 깊이 이해할 수 있습니다. 때로는 말을 통해 자신도 몰랐던 감정이나 생각에 눈뜨게 되기도 합니다.

이처럼 말은 나와 나의 관계, 나의 타인과의 관계를 형성하는 중요한 수단입니다. 우리의 마음을 반영하는 말 한마디 한마디의 성품에 따라 관계의 형태도 달라지는 것입니다.

좋은 대화는 작은 표현으로도 신뢰하는 마음을 구축하며, 존중과 사랑도 느낍니다. 그리고 갈등도 해결합니다. 반대로, 말 한마디가 관계를 훼손하기도 합니다. 그만큼 말은 인간관계에서 강력한 영향력을 발휘합니다.

말에서 품격이 느껴지는 매력적인 사람은, 공감과 이해를 바탕으로 한 말의 표현과 따뜻한 말씨, 적절한 단어의 사용과 상대의 관심사를 기반으로 한 질문, 자신을 오픈하여 경험을 공유하는 열린 대화 그리고 상대방을 유익하게 하는 대화의 운용 방식을 가지고 있습니다. 편안한 분위기로 상대가 자신을 표현할 수 있도록 먼저 배려하는 소통의 방식이 포인트라고 할 수 있습니다.

앞서 사람은 인정욕구가 강하다고 했습니다. 나 자신에게 감탄하거나, 남의 감탄을 받으면, 자존감이 올라가기 때문입니다. 그래서 매력적인 사람은 작은 것에도 칭찬과 감탄을 잘합니다.

'오 이거 멋진데!', '와 정말 잘 됐다!',

'그 소식을 들으니 내가 더 기쁘다!', 또는

'이거 좋은데!, 어떻게 한 거야?' 하며 구체적으로 묻습니다.

사람은 대화에서 내가 주인공이 되고 싶은 욕구가 있습니다. 내 중심으로만 말하는 것이 아니라, 상대가 주인공이 되어 말할 수 있도록 질문을 해 주는 겁니다.

'정말 됐으면 좋겠다.', '이번에도 잘될 것 같아!'.

가능성을 믿어주고 기대하는 말을 해 줍니다. 상대방이 긍정적인 생각을 할 수 있도록 도와주는 것입니다.

또 상대가 의도하지 않은 행동에 구체적으로 칭찬을 해 주는 겁니다. 상대의 마음을 알아봐 주는 구체적인 표현을 합니다.

'준아, 엄마가 부탁도 안 했는데, 식탁을 닦아 놓았네! 엄마가 많이 피곤 했었는데 깨끗한 식탁을 보니 피곤이 싹 풀렸어! 고맙다!'

그냥 무심결에 했거나, 뭔가를 바라고 한 행동이 아닌데도, 마음을 알아봐 주고 고마움을 표했을 때 더 감동합니다.

'실수할 수도 있지, 너는 괜찮아?'
'괜찮아…. 그건 중요하지 않아, 너무 불안해하지 않아도 돼.'
'아고 그랬구나. 사실은 나도 그런 적 있어.'
라며, 당신만 하는 실수가 아니라는 것을 알게 해 주어 안심하도록 위로해 주는 말입니다.

그리고 말의 성품이 좋은 사람은 함부로 위로하지 않습니다.
위로는 조심해서 해야 합니다. 상투적인 말 외에 할 말이 없을 때는 그냥 침묵하며 옆에 있어 주는 것이 더 좋은 방법입니다.

우리는 너무 의미 없는 말들을 남발합니다. 특히 상투적인 말 중에 '언제 밥 한번 먹자!', '언제 한번 보자'라는 남발하지 않는 것이 좋습니다. 너무 진정성 없는 겉치레입니다. '내년에 기회가 된다면, 다시 꼭 뵈면 좋겠습니다.'라든가 '다음 달 둘째 주쯤 시간 될 거 같은데, 그때 괜찮으면 같이 식사할까?'와 같은 시기를 구체적으로 제시를 하거나 분위기상 상투적이라도 한마디를 해야 할 것 같으면, '우리 담에 따로 시간을 내서 만나면 참 좋겠다.' 정도만으로도 상대방은 잠깐의 대화지만 깊은 인상을 받을 것입니다.

칭찬이 어떻게 고래도 춤추게 할까요? 칭찬은 무엇이든 좋다고 합니다. 내가 1 정도의 칭찬을 해도 상대방은 5 정도의 강도로 받아들인다고 합니다. 작은 것이라도 특징적인 것이나 장점을 찾아 칭찬해 주면 그날은 서로에게 특별한 포인트가 됩니다.

또 상대방의 관심사를 기억하고 물어봐 주면서 상대방이 주인공이 되어 성취감을 표현할 수 있도록 질문하고 공감하는 것은 대화를 풍성하게 하고 만남에 즐거움을 느끼게 합니다.

이처럼 말의 성품이 좋은 사람은 말과 마음의 표현에서 내가 존중받은 느낌을 받게 하는 매력이 있습니다.

말의 단어와 억양 같은 음성적 표현의 방식 그리고 눈빛, 손짓, 몸의 각도 등도 다 소통의 방식입니다. 좋아 보이기만 하는 위장된 표현이 아닌 솔직하면서도 품격 있는 소통이 되도록 말의 성품을 키워야겠습니다.

2. 소중함과 존중의 표현이 다르다.

매력적인 사람은 마주칠 때마다 밝은 표정으로 미소 짓고 눈인사로 반응합니다. 이런 작은 행동은 스치는 순간에도 기분 좋은 느낌을 줍니다.

내가 말할 때 그 사람은 나에게 집중합니다. 나를 바라보며 적절히 고개를 끄덕이며 반응하고, 핸드폰은 옆으로 치워둡니다. 필요한 내용은 적어가며 내 말이 유익하다고 느끼게 합니다. 말의 내용에 구체적으로 질문하고 공감을 표현합니다.

남의 자랑에는 진심으로 축하해 줍니다. 본인 자랑은 길게 하지 않습니다. 자랑은 함부로 하는 것이 아닙니다. 상대에 따라서는 시기심과 질투심을 일으킬 수 있으며, 비교하는 마음에 무력감을 줄 수도 있습니다. 자식 자랑은 특히 하지 않는 것이 좋습니다.

실수했거나 몰라서 잘 못한 경우에는 조용히 실수를 처리할 수 있도록 돕고, 스스로 깨달을 수 있도록 도움을 줍니다.

반대로 절대 끌리지 않거나 피하고 싶은 사람의 행동이 있습니다. 이런 언행은 절대 사용하지 말아야 할 비호감 언어입니다.

남의 자랑을 비하하거나 남을 함부로 판단하고 지적하는 사람, 감정의 기복이 심해 기분에 따라 표현이 다른 사람, 은근히 티 안 나게 돌려서 비꼬듯 말하는 사람이 있습니다. 그런 언어는 비꼬는 의도와 마음이 다 느껴집니다.

사람을 가려서 대하는 사람이 있습니다. 어떤 사람은 극단적으로 존중하고 어떤 사람은 극단적으로 무시합니다. 대화할 때 몸과 얼굴을 상대방에게 향하지 않는 습관이 있는 사람, 삐죽거리는 표정이나 째려보는 표정이 있는 사람, 그리고 귓속말을 하는 사람입니다.

잘못을 큰소리로 지적하고 충고하는 사람도 있습니다. 내가 당신 때문에 불편을 겪고 있고, 당신을 위해서 이것을 했다'라고 생색내는 사람입니다. 그런 충고 방식은 상대를 생각해서 하는 것이라고 하지만, 이는 자신의 존재를 높이고 내 책임이 아니라는 것을 명시하는 언행일 뿐입니다.

내가 사고로 한 달 동안 병가로 회사에 출근을 못 한 적이 있습니다. 병가 후 출근했는데, 내가 키우던 식물이 건강하게 자라고 있었고, 책상이 먼지 없이 깨끗했습니다. 한 달 동안 나의 식물을 관리해 주고, 나의 책상을 둘러봐 준 분에게 깊이 감동하였습니다. 소소한 것 같지만 큰마음이고 아픈 나를 위한 진정한 위로와 걱정의 표현으로 받아들였습니다.

상대를 소중하게 생각하지 않으면 할 수 없는 행동입니다. 그래서 끌리는 사람은 인간관계의 성숙함이 다릅니다. 상대를 진심으로 아끼는 마음의 표현을 배우는 계기가 되었습니다.

3. 소소한 감사의 표현으로 감동을 준다.

일상에서 느낀 감사의 마음과 고마움을 상투적으로 표현하는 것이 아니라 구체적으로 특별하게 표현하면, 똑같은 일상도 특별하게 느껴집니다. 예를 들어, "이거 작년에 너에게 선물 받은 스카프야, 오늘처럼 화창한 날에 하니까 더 잘 어울리는 것 같아, 고마워"라는 말처럼 말입니다.

오래전의 선물을 아직도 감사하게 기억하고 있다는 표현은 상대방에게 더 큰 고마움을 느끼게 합니다. 이는 감사의 기억을 오랫동안 간직하는 사람의 진중함이 느껴지기 때문입니다.

또한 제삼자를 칭찬하는 것도 좋은 방법입니다. "그 친구 정말 괜찮더라. 그때 날 도와주어서 정말 고마웠거든."처럼. 내 친구의 지인이 내 친구에게 나에 대해 칭찬했을 때, 내 친구에게도 좋은 마음을 준 것 같아서 참 좋은 기억이 있습니다. 칭찬은 제삼자에게 전해 들었을 때 기쁨이 배가 되며, 칭찬을 해 준 사람에게도 더 좋은 감정을 갖게 됩니다.

미안한 마음은 구체적으로 표현해서 상대의 서운한 마음을 알아주는 것이 중요합니다. "나의 이런 표현이, 너를 불쾌하게 했을 것 같아서 나도 맘이 불편했어. 미안해"라고 말하면 훨씬 진중하고 신뢰감이 느껴집니다.

반면 "네가 그렇게 느꼈다면 미안해"라는 사과는 하지 않는 것이 좋습니다. 본인이 미안하면 미안한 거지, "그렇게 느꼈다면 미안하다"라는 표현은 상대방이 불쾌하게 느낀 감정이 잘못되었다는 의미로 받아들여질 수 있기 때문입니다.

첫인상만큼 끝 인상도 중요합니다. 만남의 끝은 새로운 시작이 될 수도 있습니다. 헤어질 때도 감사를 기억하고 표현하는 것은 인간관계의 질을 높이는 방법입니다.

업무적으로 전혀 연관성이 없는 직장동료였는데, 출근길 퇴근길에 엘리베이터를 같이 타는 경우가 종종 있었습니다. 그분은 나를 볼 때마다 칭찬을 꼭 해 주어서 항상 만날 때마다 기분 좋은 분이라고 생각하고 있었습니다. 그분이 어느 날 다른 지사로 발령이 나서 가게 되었다는 소식을 듣고, 엘리베이터에서 잠깐씩 만나는 사이였지만, 왠지 그냥 보내기는 아쉬운 정감이 들었습니다. 그래서 작은 식물을 선물로 드리면서 새로운 사무실 책상에 두고 키우시라고 하며, 볼 때마다 매번 칭찬해 주셔서 감사했다는 표현을 드렸습니다. 뜻밖의 선물에 놀라신 그분은 너무 기뻐하시면서, 다른 지사에 가서도 오히려 연락을 자주하고 더 끈끈한 관계가 되었습니다. 그분은 식물이 자라서 분갈이할 때마다 사진을 찍어서 소식을 전해주셨습니다. 나는 작은 감사의 표현이었지만, 그분의 애지중지하는 마음에 또 한 번 감동하였습니다.

사람의 뇌를 촉감의 뇌라고 합니다. 사람은 촉감을 통해 서로 더 가깝게 느껴진다고 합니다. 마음은 만질 수 없으니, 마음을 상징하는 물건을 주어 만질 수 있게 하는 것입니다. 선물을 만지는 것은 손을 만지는 것과 비슷한 효과가 있다고 합니다. 그래서 심리학에서는 가까워지고 싶은 사람에게 작은 선물을 할 때, 만질 수 있는 것으로 준비하는 것이 좋다고 합니다. 비싸지 않은 만질 수 있는 작은 선물로 감사를 표현해 보는 것은 일상에서 특별한 감동을 주는 방법입니다.

4. 자신만의 멋진 색깔이 있다.

끌리는 사람(매력적인 사람)은 자신의 가치관이 뚜렷합니다. 삶의 기준과 방향이 명확하여서 좋고 싫은 것에 대한 표현이 구체적입니다. 스스로를 잘 알기 때문에 자신을 행복하게 만들며, 여유 있게 타인을 존중하고 배려할 줄 압니다. 혼자 있어도 불안하지 않으며 자기만의 시간을 잘 보낼 줄 압니다. 그 사람만의 멋진 색깔은 변덕스럽지 않아서 그 사람에 대한 예측이 가능하며, 그와 함께 있을 때는 안정감과 편안함을 느낍니다.

또한 생동감이 있습니다. 변화하는 시대에 변화를 두려워하기보다는 새로운 것을 배우고 세대를 아울러 소통하는 융통성을 가진 사람은 그 생동감에 끌리기 마련입니다. 함께하면 동기부여가 되고, 유익한 사람입니다.

무엇보다 사람을 이해하는 따뜻하고 온화한 마음이 느껴집니다. 나는 우리 동네 한의원 단골손님입니다. 몸살감기, 두통, 위통, 허리통증 같은 경우에 나는 먼저 한의원을 찾습니다. 침 치료도

받지만, 따뜻하고 온화한 한의사님의 다정하고 안정감 있는 말씨와 환자에 대한 정성에 저절로 치료가 되는 것 같습니다. 그래서 이 한의원은 진료받기 힘들 정도로 언제나 예약이 꽉 차 있습니다.

환자가 많은데도 마치 나만 기억하는 것처럼, 환자에 관한 관심이 남다르며, 정중하면서도 다정한 말씨는 상투적이지 않습니다. 환자에 대한 경험이 많다고 해서 되는 것은 아닙니다. 그분의 따뜻한 품성과 말씨가 정성 어린 치료로 배어 나오는 것을 느낍니다. 격이 있고 따뜻한 품성은 그 무엇보다 강한 힘을 발휘하는 것 같습니다.

따뜻한 마음이 그리울 때면 포레스트카터의 [내 영혼이 따뜻했던 날]을 들쳐 봅니다. 포레스트 카터의 마음 고향인 인디언의 세계를 어린 소년의 순수한 마음으로 묘사한 자전적 소설입니다. 할아버지와 할머니 그리고 자연과의 대화는 펼쳐지는 장면마다 삶의 감동적인 교훈을 담고 있습니다.

"할머니는 사람들은 누구나
두 개의 마음을 갖고 있다고 하셨다.
하나의 마음은 몸이 살아가는 데 필요한 것들을
꾸려가는 마음이다.

....

우리에게는 이런 것과 전혀 관계없는 또 다른 마음이 있다.
할머니는 이 마음을 영혼의 마음이라고 부르셨다.
만일 몸을 꾸려가는 마음이 욕심을 부리고
교활한 생각을 하거나 다른 사람을 해칠 일만 생각하고
다른 사람을 이용해서 이익을 볼 생각만 하고 있으면….
영혼의 마음은 점점 졸아들어서 밤톨보다 더 작아진다.

....

영혼의 마음은 근육과 비슷해서 쓰면 쓸수록 더 커지고
강해진다. 마음을 더 크고 튼튼하게 가꿀 수 있는 비결은
오직 한가지.
상대를 이해하는 데 마음을 쓰는 것뿐이다."

따뜻한 영혼의 마음. 카터의 할머니는 이 마음을 더 크고 튼튼하게 키울 수 있는 비결은 오직 상대를 이해하려고 노력하는 것뿐이라고 합니다. 사람은 다 다르다는 것을 인정하고, 남을 이해할 수 있는 넉넉한 마음. '그럴 수 있지'라는 마음이 평안하게 생기기까지는 먼저 나의 몸과 맘이 건강하게 바로 설 수 있어야 가능한 것 같습니다.

누구나 다 자신만의 색깔은 있습니다.

자신만의 색깔이라는 것은 그 사람 삶의 모습입니다. 생각, 가치관 또는 말씨와 옷 입는 스타일까지 무엇을 중요하게 여기며 사는지, 삶의 방향은 무엇인지, 사람을 생각하는 나의 가치관은 무엇인지 등이 모여 그 사람의 이미지와 분위기를 결정합니다.

가치관이 뚜렷한 사람, 삶의 생동감이 느껴지는 사람, 따뜻하고 온화한 사람, 남을 이해하는 넉넉한 마음이 있는 사람과 같은 그 사람만의 매력적인 색깔을 우리 각자에게서도 발견하기를 바랍니다.

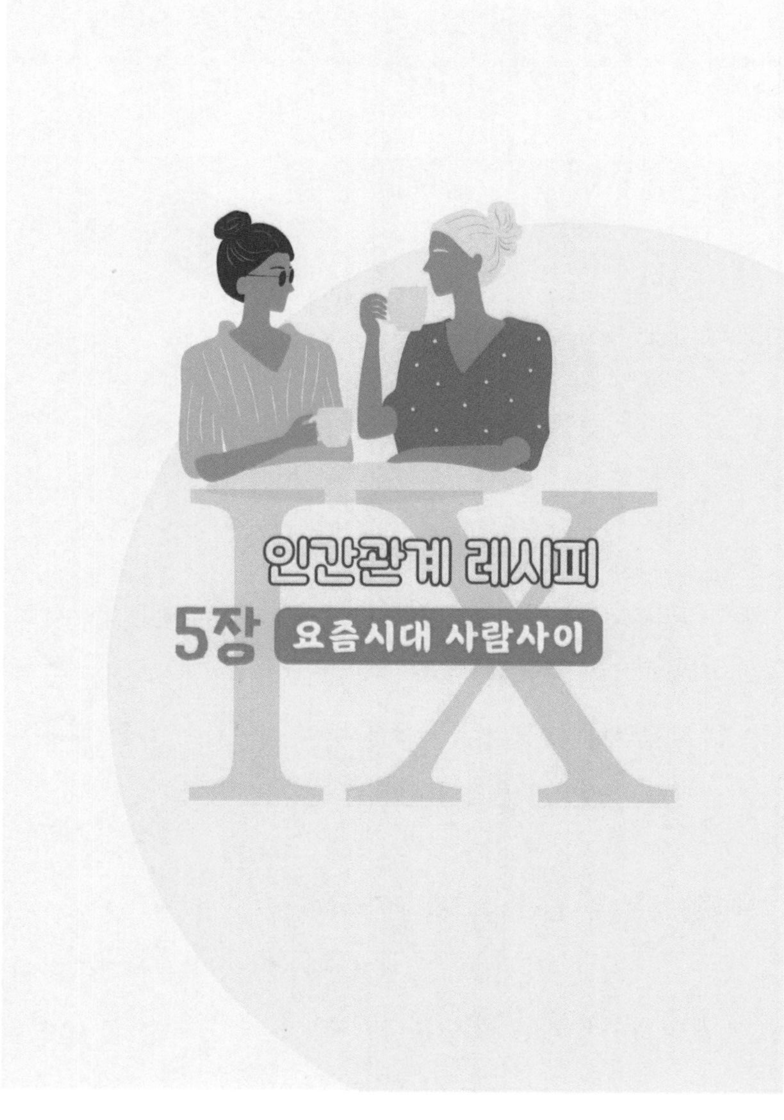
인간관계 레시피
5장 요즘시대 사람사이

1. 고독을 즐겨야 하는 이유

혼자 있으면 외롭다고 생각하는 것은 사람들과의 관계에서 소통의 문제가 발생했을 때, 소속감에 불안이 생겼을 때 느끼는 수동적인 감정입니다. 그러나 고독은 나의 내면적 성찰을 위해 내가 자발적으로 선택한 혼자입니다.

독일의 철학자 쇼펜하우어는 “인간의 모든 고통은 혼자가 될 수 없다는 데서 온다”라면서, “현명한 사람은 적당한 거리를 두고 몸을 따뜻하게 하는 데 만족하지만, 어리석은 자는 불에 손을

넣어 화상을 입는다. 그러고는 외로움이 있는 차가운 곳으로 피신 해 불이 타오르고 있다며 슬퍼한다."라고 했습니다.

무리에서 고립되면 바로 외로워서 견딜 수 없을 것 같은 불안함, 혼자서 무언가를 하면 대인 관계에 문제가 있는 것처럼 보일까 봐 남의 눈치 때문에, 진정한 나 자신일 수 있는 고독의 시간을 갖지 못합니다.

사람들과의 소통이 중요하다고 강조되는 사회에서 고독의 시간은 더욱 필요할지도 모르겠습니다. 우리는 오프라인의 관계뿐만 아니라 SNS, 온라인 커뮤니티 등을 통해 '좋아요', '댓글'의 세계에 머물면서 광범위한 인맥을 만들고 감정 에너지를 소모하고 있습니다. 그러면서도 대면 만남이나 오래된 관계에서 느낄 수 없는 공허함과 외로움은 더 커집니다.

외로울 때는 고독을 즐기면 됩니다. 고독은 나의 내면을 깊이 들여다보고 나를 이해하는 좋은 시간입니다. 고립을 불안해할 필요는 없습니다. 고독을 즐길 수 있으면, 더 좋은 인간관계는 또 생깁니다.

외로움을 느끼는 이유는 남과의 관계가 원활하지 않을 때 느낀다고 하지만, 남과의 대화보다 나 자신과의 대화를 갈망하기 때문일 수도 있습니다. 이제껏 대화는 남하고의 대화만 익숙했기 때문에, 나와 대화를 하는 것이 어렵게 느껴졌을 수 있습니다. 고독은 이러한 대화를 가능하게 하는 공간을 마련해 줍니다. 나와 솔직하게 대화하고, 솔직한 나를 인정하고, 나에 관한 생각, 감정, 가치관 등을 깊이 이해해 봅니다. 그러면 남의 인정과 평가에 의존하지 않고 남으로부터 정서적 독립이 됩니다. 혼자도 외롭지 않을 뿐만 아니라 혼자의 유익한 즐거움이 있습니다.

고독을 즐기는 방법은 여러 가지가 있습니다. 산책, 독서, 글쓰기, 명상 등 자신만의 시간을 갖고 나를 느껴보는 것입니다. 건강을 챙겨야 하는 상태라면 운동을 시작하고, 육체의 쉼이 필요하다면 푹 잠도 자보거나, 여행이 그리웠다면 혼자 여행도 떠나보는 겁니다. 지적 충족이 필요하다면 배움에 집중해 보는 것과 같이, 나를 채우는 새로운 시도를 즐기면서 얻는 작고 잦은 성취감은 나에 대한 만족감을 높이고 자기애를 만듭니다.

최근에 사람들은 자발적 고립을 선택해 혼자 밥을 먹고 혼자 영화를 보거나, 혼자 캠핑도 하는 '나 홀로 문화'를 즐깁니다. 타인과의 관계에서가 아닌 혼자만의 일상을 즐기면서 행복감을 느끼는 사람들이 증가하고 있습니다.

나도 혼자 있는 시간을 통해 새로운 시도를 하면서 생기는 생동감으로 남을 대하게 되니, 만나는 사람들에게 인사할 때마다 함께 전염되는 기분 좋은 분위기가 느껴졌습니다. 사람들이 나에게 편하게 다가오고, 신선한 게 느껴지는 분위기에 호기심을 갖기도 했습니다.

기존의 인간관계에서 벗어나 같은 관심사를 갖고 있는 사람들과 더 교류하게 되었고, 또 내가 새롭게 배운 것들을 다른 사람에게 베풀고 나눌 수 있는 작은 무언가도 생기니 내가 남에게 유익한 사람이라는 나에 대한 효능감도 느낄 수 있었습니다.

가족들과도 새로운 주제를 가지고 얘기하게 되니 대화거리도 풍성해집니다. 아이들은 엄마가 새로운 시도를 하는 것에 관심이 많습니다. 무심한 듯하면서도 엄마가 뭘 하는지 다 보고 있습니다. 가끔 “엄마 오늘은 운동하러 안 가?”하기도 하고, 엄마가 읽고 있는 책도 들여다보면서, “지난번 그 책 다 읽었어?” 하며 슬쩍 엄마를 점검합니다. 그러면서 바쁜 엄마의 시간과 관심사를 존중하는 배려도 해 줍니다.

인간관계 문제 자체를 째려보고 있으면, 고민과 고통에서 벗어날 수 없습니다. 나를 둘러싼 인간관계에서 잠시 시간과 거리를 두고 문제를 바라보고, 주의를 돌려 나의 성장에 집중하면 인간관계는 어느새 저절로 새로워져 있습니다.

또한 고독을 통해 나의 에너지를 충전해야 남과의 관계도 잘 지낼 수 있습니다. 마음에 행복감이 있으면 ‘그럴 수도 있지’, ‘내가 더 이해하면 되지!’ 하면서 남에게 여유 있게 대할 수 있기 때문입니다. 따라서 혼자임을 즐길 수 있을 때 인간관계는 더 자유롭고 풍부해집니다. 이것이 우리가 고독을 즐겨야 하는 이유입니다.

2. 느슨한 인간관계의 진정성

식물을 키우다 보면 발견하게 되는 것이 있습니다. 식물의 잎은 서로 겹쳐서 나지 않습니다. 새로운 잎은 스스로 먼저 나온 잎과 조금이라도 각도를 다르게 해서 나옵니다. 그 각도는 90도, 15도 등 다양한 각도로 서로 어긋납니다. 그것은 빛을 받아야 하기 때문입니다. 다른 잎에도 방해가 되지 않으면서, 나도 방해받지 않도록 각도를 달리하는 것입니다. 잎 하나하나가 겹치지 않고 서로 잘 어우러진 식물을 보면 보는 이도 그 모습에 흐뭇해집니다.

새로운 사람을 처음에 만날 때는 그 사람에 대한 호기심과 새로운 인연에 대한 기대감으로 즐겁지만, 공유하는 게 많아지고 상대를 더 알아가면서 사람 사이에 갈등이 생기기 마련입니다. 친하다는 이유로 무례하게 표현하기도 하고 친밀한 사람에게는 '우린 이 정도의 사이니까'라는 관계의 기대 수준이 생기기도 합니다. 이런 갈등을 관리하고 좋은 관계를 유지해 나가는 것은 쉽지 않습니다. 정신적인 에너지가 많이 들기 때문입니다.

갈등을 잘 극복해서 더 좋은 관계가 되기도 하지만, 갈등으로 서로 상처만 남기고 헤어지기도 합니다. 또 상황에 따라 자연스럽게 멀어지기도 합니다.

사는 거리가 멀거나 사회적, 경제적, 공간적으로 서로 얽힌 관계가 없다면, 갈등이 생기거나 필요 때문에 멀어지더라도 큰 문제가 되지 않습니다. 하지만 연인, 가족, 직장, 학교생활처럼 내 맘대로 벗어나기 어려운 환경에 갇힌 관계라면 인간관계가 더 힘들게 느껴집니다. 사회적 구조에 갇힌 연결망 속에서 어떻게 하면 현명하게 관계를 잘 관리 할 수 있을까…. 우리는 늘 그 고민을 하고 삽니다.

갈등을 잘 극복하고 서로 친밀한 관계를 강하게 유지하는 소수의 사람을 이글에서는 '진정한 관계'라고 표현하겠습니다. 사람들은 모두 이런 진정한 관계를 원합니다. 삶의 안정감과 행복감을 주는 이런 관계는 행복에 기본 조건입니다. 서로 행복한 관계가 되기 위해서는 많은 시간과 에너지가 필요하기 때문에 모든 사람이 나와 그런 관계가 될 수는 없습니다.

어릴 때부터 얕은 인간관계보다는 깊은 인간관계를 가지라는 교육을 받고 자랐습니다. 그러나 모든 사람과 깊은 인간관계를 맺는 것은 불가능합니다. 평생에 진정한 친구 3명만 있어도 성공이라는 말이 나이가 들수록 더 실감 납니다. 그 진정한 친구 3명은 가족 포함된다는 어느 상담사의 말을 듣고 얼마나 안심이 되었는지 모릅니다.

나는 드라마를 정말 좋아합니다. 어렸을 때는 드라마 속의 인간관계가 현실과 같다고 생각했던 적도 있습니다. 우습지만, “어? 드라마에서는 이렇게 되는데, 왜 현실은 다르지?” 하며 드라마와 현실을 구분하지 못할 때도 있었습니다. 나만 그런 게 아니었는지, ‘네가 드라마를 너무 봐서 그래’라는 말이 유행하기도 했습니다.

드라마 속에 꼭 등장하는 주인공의 절친한 친구 같은 진정한 관계. 나를 위해 모든 것이 준비된 그런 친구는 드라마를 이끌어가는 설정에 불과합니다. 현실에서 그런 친구가 되고 그런 친구를 가지기는 정말 어렵습니다. 그렇더라도 진정한 관계는 꼭 필요합니다. 삶의 안정감과 평안함의 원천이기 때문입니다.

저에게는 평생 함께할 가족이 그러합니다. 그러나 친밀한 가족도 서로 예의를 지키지 않으면 남보다 더 멀어질 수 있습니다. 따라서 진정한 관계라고 하더라도 정서적으로 잘 분리되고, 서로의 영역을 인정해 줄 수 있는 거리는 꼭 필요합니다.

식당에서 혼자 밥을 먹는 것이 뻘쭘하고 어색했던 과거와 달리, 최근에는 혼밥, 혼술을 즐기는 '나 홀로 문화'가 생겼습니다. 식당의 인테리어도 혼자 먹을 수 있는 공간을 잘 구성해 놓았습니다.

홀로 문화와 상반되게 온라인상의 페이스북이나 인스타그램, 동호회 같은 디지털 사회관계망은 확장되고 있습니다. 반면, 학연, 지연을 기반으로 한 동창회 같은 모임은 기피 하는 추세입니다. 빅테이터 분석 결과, 요즘 인간관계의 중요한 키워드로 떠오르는 것이 관계 정리라고 합니다. 불필요하고, 불편하고, 에너지가 많이 소모되는 인간관계는 정리하고 소수의 진정한 관계에 집중한다는 것입니다.

나의 유튜브 알고리즘으로 자주 뜨는 인간관계 관련한 영상들 중에는 '곁에 두어야 할 사람과 손절해야 할 사람', '당장 손절해야 할 사람 특징 6가지'와 같은 주제가 많습니다.

반면 기존에 나를 잘 알던 사람보다는, 디지털상의 사회적 관계망을 통해 새로운 인간관계를 맺기도 합니다. 개인의 취향과 관심사가 맞는 사람들끼리 소소한 이야기도 나누고, 여행, 스포츠, 글쓰기와 같은 활동으로 함께 힐링하는 정도의 친밀감을 유지하는 느슨한 관계를 선호한다고 합니다. 그러나 꼭 느슨한 관계는 디지털상의 관계만을 의미하진 않습니다.

서로 사적인 부분을 공유하고 마음을 깊이 나누는 소수의 진정한 관계, 사적인 부분까지 공유하는 친밀한 관계는 아니어도 서로 정보를 나누고 정서적으로 도움이 되는 느슨한 관계. 즉 느슨한 인간관계는 서로에게 적당한 거리를 두고, 각자의 시간과 관심사를 존중하며, 도움이 되면서도 관계를 소유하지 않고 개인의 자유도 배려하는 인간관계 문화로 자리 잡고 있습니다.

정리하면, 공허하게 비대해진 관계를 다이어트하고, 예의를 갖춘 적절한 거리감으로 서로 응원하는 느슨한 관계. 그리고 안정감과 행복감을 주는 소수의 진정한 관계를 두 축으로 관계를 정리하는 것은 감정 피로로 누적된 사람들의 피로감을 해결해 주는 매력적인 관계도로 보입니다.

나의 인간관계망이 건강하게 유지되기 위해서는 나에게 안정감을 주는 진정한 관계를 먼저 잘 챙겨야 합니다. 특히 평생 함께하는 가족 관계가 평안하고 행복할 때 다른 관계도 건강하게 맺을 수 있습니다. 진정한 관계가 불안하면 관계의 뿌리가 흔들리는 것 같은 불안감이 생기고 다른 관계에서 안정감을 찾으려고 하다가 더 큰 상처를 받을 수 있습니다.

가까울수록 격이 없이 표현하기 때문에 때론 소홀하고 무례할 수 있습니다. 그러니 소중한 마음과 존중하는 표현을 자주 하고, 감정을 솔직하게 표현하는 소통의 방식을 만드는 것이 중요합니다.

3. 지속적으로 배워야 적응하는 사회

내가 세상의 변화에 관심을 두기 시작한 건 2010년대쯤 우연히 보게 된 <세계 미래 보고서>(박영숙 저) 때문이었습니다. 스마트폰 세상이 오면서, 세상이 참 빠르게 변한다고 생각하던 차에 미래학자들의 2030년대 이후를 예측하는 내용은 신기하고 신세계 같았습니다. 지금 기억하기로 사람의 뇌가 공유되어 사람의 경험까지 전수할 수 있고, 유전자조작으로 원하는 능력을 갖춘 아기도 만들 수 있다는 내용은 충격적이었습니다.

평생 끊임없이 배워야겠다고 생각한 계기가 된 내용이 있었는데, 전 세계 대학에서 이루어지는 강의가 모든 사람에게 오픈되어 누구든 유명 대학 강의를 들을 수 있고, 기술이 빠르게 발전함에 따라 과정이 긴 대학, 대학원 교육보다는 그때그때 실무 프로젝트에 필요한 교육을 받은 사람을 채용하기 때문에, 평생직장 개념도 없고 대학의 서열도 의미가 없어진다는 내용이었습니다.

이것은 이미 현실이 되어가고 있습니다. ChatGPT와 같은 AI가 보통 사람들에게 상용되고, 많은 기업이 메타버스 세상을 설계하고 달려가고 있다는 얘기를 들으면, 앞으로 펼쳐질 새로운 변화를 내가 감당할 수 있을까? 하는 불안도 생깁니다.

3년 전쯤 인스타그램이 시작되었을 때는 인스타 친구를 만드는데 엄청 열을 올렸습니다. 처음엔 멋지게 사진 찍는 기술만 필요하다가, 사진보다 동영상이 유행되니, 동영상 편집도 배워야 했습니다. 지금의 인스타그램은 관심사가 같은 친구끼리 정서를 나누는 개념보다는, 관심사 기반의 유익한 정보를 얼마나 잘 전달하는가? 또 그것이 개인 브랜딩이나 판매로 이어질 수 있도록 영상과 카피를 얼마나 눈에 쏙 들어오게 짧게 만드는가가 중요해지니, 이제는 숏폼을 제대로 만드는 것을 공부하는데 열을 올리게 되었습니다. 숏폼 하나를 제대로 만들려면 카피, 영상, 글까지 제대로 기획해야 합니다. 이제 인스타그램 활동은 그저 관심사 친구 만들기보다는 사람과의 연결을 통해 수입을 창출하는 직업의 영역이 되었습니다.

필요한 자료를 정리하고 편집하는데도 우리가 알고 있는 아래 한글, 엑셀만 있는 게 아닙니다. 얼마 전 '옵시디언'이라는 프로그램을 알게 됐는데, 내가 쓰고 정리한 여러 파일의 자료들 안에서 키워드가 검색되고, 자료끼리 연결도 하는 등 입체적으로 자료를 검색하고 빠르게 활용할 수 있는 기능을 보고 놀랐습니다. 편리하고 빠른 도구들은 자꾸 나오고, 배워야 할 것들은 많으니, 마음만 급해집니다.

2024년 초에 ChatGPT-4 가 나와서 내가 마치 똘똘한 비서를 두게 되었다고 생각하며 하나씩 배워가고 있는데, 벌써 몇 달도 안 되어 사람처럼 대화하는 ChatGPT-4o가 나와 모든 사람을 놀라게 하고 있습니다. 세상은 엄청난 속도로 변하고 있습니다.

내 삶을 편리하게 하고, 나의 시간을 절약해 주는 기술 도구들이 막 쏟아지고 있습니다. 새로운 것에 관심을 두기 시작하면, 바로 다음 버전이 나올 정도로 빠르게 변화하고 있습니다. 과거에는 새로운 기술을 사용하는 사람도 있지만 사용하지 않는 사람도 불편 없이 잘 살았습니다. 핸드폰이 1996년도부터 거의 모든 사람이 갖고 있었는데도, 나의 지인 중에는 2000년이 지나서도 핸드폰 없이도 불편함 없이 잘 지낸 분도 계셨습니다. 요즘은 아무리 개인정보가 노출될까 봐 두려워 인터넷뱅킹 안 한다고 고집

부렸던 분들도, 스마트폰에 카드, 은행 어플은 다 깔고 이용할 수밖에 없게 되었습니다.

이제 평생 배움은 선택이 아니라 필수가 되었습니다. 일상생활에서, 일에서 '디지털 리터러시'. 즉 디지털 환경에서 디지털 매체를 효과적으로 활용하는 능력으로, 정보를 찾고, 생성하고 전달하는 등의 다양한 스킬과 지식을 갖추기 위한 노력은 필수가 되었습니다.

더불어 급격히 변화는 사회에 디지털격차가 사회의 문제로 대두되고 있습니다. 코로나 팬데믹 때 스마트폰을 이용한 백신 예약을 할 줄 모르는 고령자 중에는 빠르게 접종받지 못해 돌아가신 일도 있었습니다. 디지털격차는 이제 편리성의 문제가 아니라 삶과 죽음을 나누는 경계가 되기도 했습니다. 그래서 디지털 세상을 누구나 잘 활용해서 정보와 지식을 접할 수 있도록 서로가 서로에게 가르쳐주고 배워야 하는 때입니다.

다행히 인간의 뇌는 기본적으로 변화하기 위해서 진화해 왔다고 합니다. 그래서 원래의 뇌가 가진 특성들을 잘 유지하면서도 변화에 능동적으로 대응하는 능력이 있다고 합니다.

그리고 뇌과학자들은 인간은 늘 다른 인간과 다른 존재를 생각하는 존재라고 합니다. 이런 의미에서 많은 전문가는 기술의 변화가 존재하는 세상 속에서는 사람들과의 커뮤니티가 미래에 큰 역할을 할 것이라고 합니다. 단순히 나 혼자가 아니라 내가 어떤 사람들과 함께 공부하고, 누구와 함께 어디에서 변하는 세상을 탐험해 나갈 것인가입니다. 느슨한 인간관계가 확대되는 현상과 이해가 되는 대목입니다.

기술의 발전은 생활의 문화도 바꾸고 또 새롭게 생성됩니다. 그리고 인간관계도 변화시킵니다. 만약 지금 변화하는 느슨한 인간관계를 인지하지 못한다면, 어쩌면 나와 타인의 심리적 거리를 조절하지 못해서 갈등이 생길 수 있습니다.

꼭 기술을 배우는 것이 아니더라도 세상의 변화에 깨어 있어야 합니다. 예전에는 천천히 변했지만, 지금은 빠르게 변합니다. 변화하는 문화, 인간관계, 인간의 사고방식, 삶의 방식, 세대 간의 차이점 등…. 끊임없이 배움의 자세로 대해야 스스로에게도 남에게도 유익하게, 자존감 있게 살아갈 수 있습니다.

그렇다고 조급해할 필요는 없지만, 변화를 회피하거나 누군가 다 할 때 따라가야지 하며 수동적으로 생각하지 말고 적극적으로 변화를 관찰하고 내가 적응할 수 있는 배움을 선택해야 할 것입니다.

마치는 글

품위 있고 평안한 인간관계를 위하여

우리는 타인과 좋은 관계에서 에너지를 얻고, 나쁜 관계에서 에너지를 잃습니다. 좋은 관계라도 남과 상호작용하다 보면, 내 에너지를 충전할 수 있는 나만의 시간이 꼭 필요합니다. 깨닫고, 배우고, 바뀌면서 우리는 평생 성장합니다. 평생 성장하는 사람은 성숙한 인간관계를 우아하게 잘 유지할 수 있습니다.

인간관계의 갈등을 기분 나쁜 경험으로, 해결되지 못한 상처로만 간직하기보다는 관계에서 배우고, 나를 충전해서 더 좋은 사람이 되어 인간관계를 잘 운용하는 사람이 되는 기회라고 생각해 보면 어떨까요.

나는 주말마다 집 앞 카페에 갑니다. 내게 가장 편한 자리까지 정해놓고, 항상 그 자리에 앉아서 몇 시간이고 내가 하고 싶은 것을 하면서 나만의 시간을 갖습니다.

만약 나만의 시간을 이렇게 갖지 않았다면, 나는 아마도 이 책을 쓰면서 50년간의 내 생각들을 정리해 보지 못했을 것이고, 남은 50년의 미래에 대한 설렘도 갖지 못했을 겁니다. 그리고 매일 회사 일, 집안일에만 묶여서 짜증만 내거나 무기력해졌을지도 모릅니다.

카페에 오랫동안 앉아 있으면, 의도하진 않았어도 사람들의 모습을 자연스럽게 관찰하게 됩니다. 여러 사람이 왔다 갑니다. 시간대별로 오는 사람들이 다릅니다. 오전 시간에는 공부하는 사람들로 조용합니다, 주로 혼자서 와서 강의도 듣고, 엄마랑 아이와 함께 유창하게 영어 공부도 하고, 노트북에 글을 쓰시는 분들도 있습니다.

2시쯤 되면 점심 식사 후 차 한잔하러 온 사람들로 시끌시끌합니다. 20대 자녀와 부모님이 즐겁게 대화하다 가기도 하고, 부부끼리 와서 심각한 표정으로 다투다가 결국 심각하게 떠나기도 합니다. 누나와 남동생, 엄마와 아들…. 내용은 알 수 없지만, 톤과

어조, 몸짓으로 대화의 분위기가 감지됩니다. '아…. 나도 저럴 때 저랬겠구나'하며 나를 돌아보기도 하고, 가족끼리 단란한 모습을 보면 참 흐뭇합니다. 우리 아이들이 커서도 함께 저렇게 대화를 나누면 참 좋겠다. 하면서요.

가끔 조용한 시간에 유모차에 아기를 재우고, 테이블에 앉아서 다이어리를 정리하며 차 한잔하는 엄마를 보면, '저 엄마는 이 시간이 얼마나 소중할까…. 참 예쁜 시간이다.' 하며 따뜻한 미소로 바라보게 됩니다.

어느 날 저녁에 60~70대 정도 되는 할머니들 6명이 심각하고 쌩한 표정으로 둘러앉더니, 그중 두 분이 심각하게 큰소리로 대화하기 시작했습니다. 아마도 모임 안에서 그동안 묵은 감정 때문에 관계가 나빠진 사이였나 봅니다. 그 감정을 해결하려고 갈등 당사자가 대면해서 대화하도록 해서, 함께 풀어주려고 했던 자리였던 것 같습니다. 결국은 화해하기는커녕 서로 해결할 수 없는 사이임을 확인하고 일부가 먼저 나가버리는 걸로 끝이 났습니다.

내가 이 할머님들의 대화 모습을 유심히 지켜본 이유가 있습니다.

'어쩜…. 나 중학생 때 나도 저런 일 있었는데….' 친구들끼리 감정이 상해서 여럿이 해결하려고 만났다가 서로 재판하듯 말싸움만 하다가 팽하고 가버렸던 적이 있습니다.

"난 원래 그런 사람이야!", "난 솔직한 사람이야. 난 돌려 말하고 그런 것 못해~" 하는 할머니들의 대화가 내 귀에 많이 거슬렸습니다. '아…. 저분들 화해 못 하겠다. 서로 미움만 더 쌓이겠네…. 저 연세에도 저렇게 다투시는구나.'

표현의 방식을 더 많이 알고 계셨더라면, 서로 생각과 경험이 다르다는 것을 많이 인정해 보는 경험이 더 있었더라면, 이해하는 넉넉한 마음에 좀 더 관심이 있으셨더라면. 서로에게 이보다는 예의 있고 우아하게 대화를 마무리할 수 있지 않았을까…. '나는 그래야지 다짐'하면서 내 다짐을 위해, 내 맘대로 할머니들을 평가하고 재단해 보았습니다.

사람의 성품과 언행은 변한다고 했습니다. 인간관계의 상호작용은 주로 성품과 언행으로 이루어집니다. 첫 장부터 나열한 무례하고 당장 손절해야 할 것 같은 그 사람들이 바로 나의 모습이기도 했습니다.

사람을 존중하는 게 무엇인지 몰랐고, 인간관계를 잘 유지하는 방법도 몰랐습니다. 평가하고, 따지고, 지적질을 잘했습니다. 그리고 원칙을 중요시하면서 사람에게 따뜻하게 대하는 것은 별로 고려하지 않았습니다. 다른 사람의 감정보다는 일에 중심을 두는 것이 맞는다는 생각도 했습니다. 그것이 옳고 그렇게 행동하는 것이 맞는 줄 알았습니다.

나와 멀어진 많은 사람은 나를 외면하기 전에, 나의 이런 행동 때문에 상처받은 것을 어떤 식으로든 표현했지만, 내 기준에 쌓여 전혀 그 말을 이해하지 못하고 내 말만 했던 것 같습니다. 남보다 잘해야 한다는 열등감, 불안함이 더 예민한 표현들로 나타나 무시하고 평가하며, 상대의 감정에 무관심했던 냉담함을 보였습니다. 지금 생각해 보면 내가 참 얄미웠습니다.

세월이 한참을 지나고 나서야 나도 똑같은 상처로 혼란스러울 때, 따뜻한 사람들로부터 존중과 배려를 배우면서 깨닫게 되었습니다.

인간관계에 대한 고민이 들 때마다 그와 나의 옳고 그름에 대한 생각, '나는 나쁜 짓을 안 했는데 내가 왜 상처받는 거지?', '저 사람만 만나면 왜 기분이 나쁘지?', '저 사람은 왜 나한테만 저러지?', '이 사람과의 관계를 이렇게 끝내도 괜찮을까?', '아휴! 이렇게 해야 했는데….' 하며 많은 고민과 인간관계 문제를 해결하기 위한 시도를 하면서 내가 행복하고 평안할 나만의 인간관계 레시피를 만들어 보게 되었습니다.

사람을 소중하게 여기는 태도와 표현, 서로 다름을 인정하고 거리를 두고 존중하는 인간관계, 내가 끌리는 사람이 되기 위한 작은 습관들, 평생 배움을 통해 멋지게 변화해 가는 여러분이 되시길 바랍니다.